PENSAR Y APRENDER

CURSO DE ESPAÑOL

Franco Esposito

EDITORIAL LOS MAYAS INC.

DISTRIBUTION LOS MAYAS INC.
C.P. 43002, Succ. Vilamont
Vimont, Laval, Québec
Canada
H7M 6A1
(450) 668-5399 Fax.: (450) 668-7468
E-mail: distributionlosmayas@videotron.ca

PENSAR Y APRENDER:

Pensar y aprender – libro 1
Pensar y aprender – libro 2
Pensar y aprender – libro 3
Pensar y aprender – cuaderno de laboratorio (libros 1-2-3)
Pensar y aprender – casetes de laboratorio (libros 1-2-3)
Pensar y aprender – clave (libros 1-2-3)
Pensar y aprender – exámenes (libros 1-2-3)

Tercera edición, 1996

fotos (portada e interior) → Franco Esposito

fotos de la portada:

- a la izquierda → cabeza del dios Quetzalcóatl (serpiente emplumada) en el templo erigido a esta divinidad en Teotihuacán, México
- a la derecha → Templo de los Guerreros con escultura de Chac-Mool, divinidad maya-tolteca de la lluvia (Chichén-Itzá, México)
- abajo → El Castillo, dedicado al culto de Kukulkán (Chichén-Itzá, México)

Impreso en Canadá/Printed in Canada/Imprimé au Canada

ISBN: 2-921445-06-9

Depósito legal – Bibliothèque Nationale du Québec, 1996.
Depósito legal – Bibliothèque Nationale du Canada, 1996.

Agradezco a mi hermano Peter Esposito por su ayuda y consejos a lo largo de este proyecto. Doy las gracias también a Ariel del Barrio quien ayudó en la revisión del libro, así como a Hugo Hazelton, Nora Huerta, Achille Joyal, María–Teresa Pérez y Downes Ryan por sus recomendaciones.

ÍNDICE

ESPAÑA
Mar Cantábrico
FRANCIA
Golfo de León
ANDORRA
Océano Atlántico
PORTUGAL
Lisboa
ESPAÑA
Madrid
La Coruña
Lugo
Pontevedra
Orense
Oviedo
León
Santander
Vizcaya
Bilbao
San Sebastián
Guipúzcoa
Álava
Vitoria
Pamplona
Navarra
Logroño
Burgos
Palencia
Valladolid
Zamora
Salamanca
Segovia
Ávila
Soria
Zaragoza
Huesca
Lérida
Gerona
Barcelona
Tarragona
Guadalajara
Teruel
Castellón
Cuenca
Castellón de la Plana
Toledo
Cáceres
Badajoz
Ciudad Real
Albacete
Valencia
Alicante
Murcia
Córdoba
Jaén
Sevilla
Huelva
Granada
Almería
Málaga
Cádiz
Golfo de Cádiz
Estrecho de Gibraltar
MARRUECOS
Menorca
Mallorca
Palma de Mallorca
Islas Baleares
Ibiza
Formentera
Mar Mediterráneo
ISLAS CANARIAS
Lanzarote
La Palma
Fuerteventura
Tenerife
Santa Cruz de Tenerife
Gomera
Las Palmas
Hierro
Gran Canaria
La Península Ibérica
ESPAÑA
Y PORTUGAL
Capital Nacional
Pamplona • Ciudad
Navarra provincia

ESTADOS UNIDOS DE AMÉRICA
MÉXICO
Golfo de México
Océano Pacífico
Golfo de California
Tijuana
Baja California Norte
Baja California Sur
Ciudad Juárez
Chihuahua
Matamoros
Monterrey
Saltillo
Mazatlán
Zacatecas
Aguascalientes
San Luis Potosí
Tampico
Guanajuato
Querétaro
Puerto Vallarta
Guadalajara
Jalisco
Manzanillo
México
Toluca
Cuernavaca
Taxco
Puebla
Veracruz
Orizaba
Ixtapa-Zihuatanejo
Acapulco
Oaxaca
Puerto Escondido
Villahermosa
Tuxtla Gutiérrez
Mérida
Yucatán
Cancún
Cozumel
BELICE
GUATEMALA
HONDURAS
EL SALVADOR

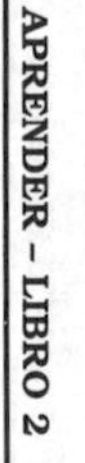

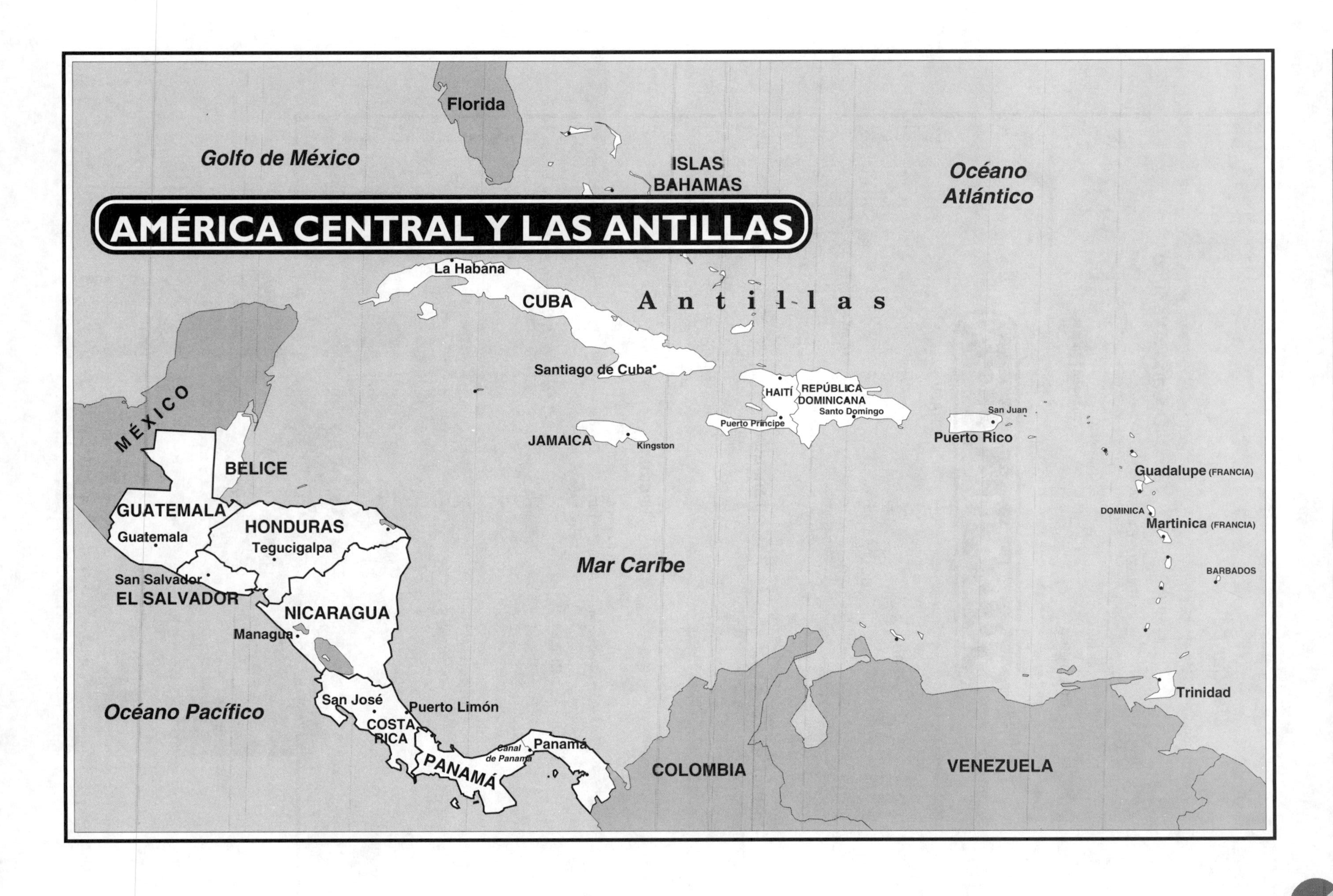
AMÉRICA CENTRAL Y LAS ANTILLAS
Florida
Golfo de México
ISLAS BAHAMAS
Océano Atlántico
La Habana
CUBA
Antillas
Santiago de Cuba
HAITÍ
REPÚBLICA DOMINICANA
Santo Domingo
Puerto Príncipe
JAMAICA
Kingston
San Juan
Puerto Rico
MÉXICO
BELICE
Guadalupe (FRANCIA)
GUATEMALA
Guatemala
HONDURAS
Tegucigalpa
DOMINICA
Martinica (FRANCIA)
Mar Caribe
San Salvador
EL SALVADOR
BARBADOS
NICARAGUA
Managua
Trinidad
San José
Puerto Limón
Océano Pacífico
COSTA RICA
Canal de Panamá
Panamá
PANAMÁ
COLOMBIA
VENEZUELA

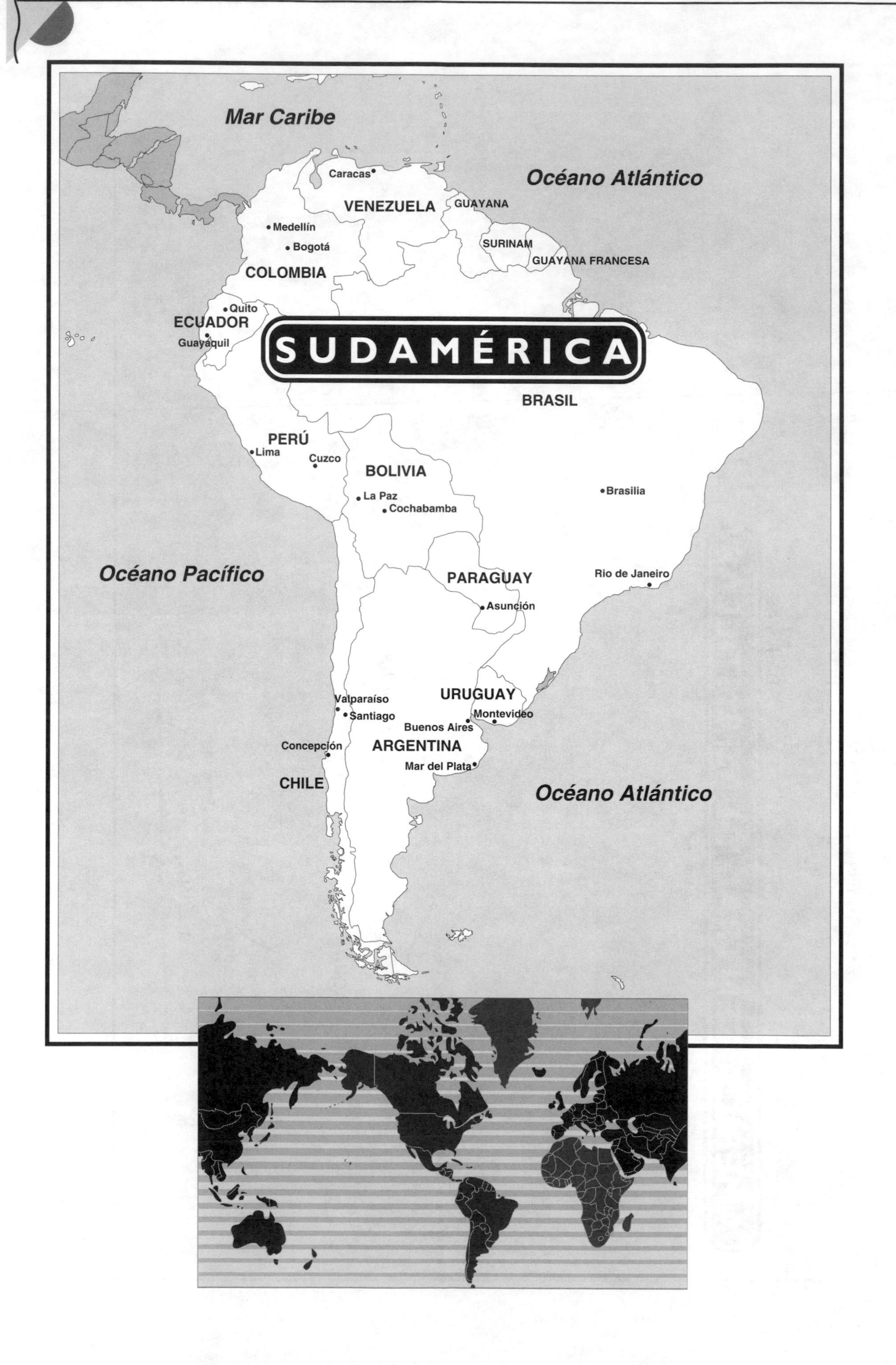

SUDAMÉRICA
Mar Caribe
Océano Atlántico
Océano Pacífico
Océano Atlántico
Caracas
VENEZUELA
GUAYANA
SURINAM
GUAYANA FRANCESA
Medellín
Bogotá
COLOMBIA
Quito
ECUADOR
Guayaquil
BRASIL
PERÚ
Lima
Cuzco
BOLIVIA
La Paz
Cochabamba
Brasilia
PARAGUAY
Asunción
Rio de Janeiro
URUGUAY
Montevideo
Valparaíso
Santiago
Buenos Aires
Concepción
ARGENTINA
Mar del Plata
CHILE

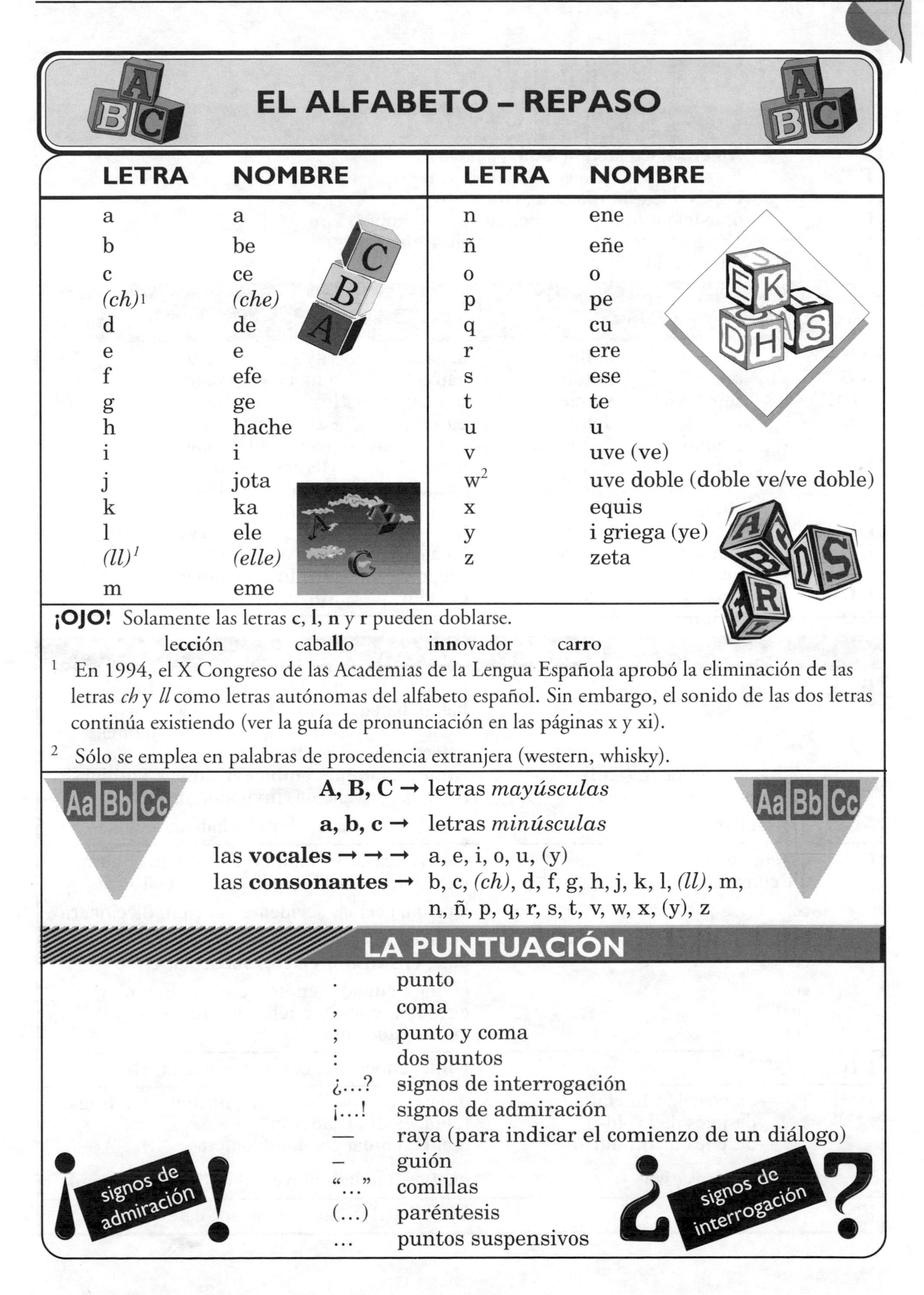

EL ALFABETO – REPASO

LETRA	NOMBRE	LETRA	NOMBRE
a	a	n	ene
b	be	ñ	eñe
c	ce	o	o
(ch)[1]	*(che)*	p	pe
d	de	q	cu
e	e	r	ere
f	efe	s	ese
g	ge	t	te
h	hache	u	u
i	i	v	uve (ve)
j	jota	w[2]	uve doble (doble ve/ve doble)
k	ka	x	equis
l	ele	y	i griega (ye)
(ll)[1]	*(elle)*	z	zeta
m	eme		

¡OJO! Solamente las letras **c**, **l**, **n** y **r** pueden doblarse.

le**cc**ión ca**ll**o **inn**ovador ca**rr**o

[1] En 1994, el X Congreso de las Academias de la Lengua Española aprobó la eliminación de las letras *ch* y *ll* como letras autónomas del alfabeto español. Sin embargo, el sonido de las dos letras continúa existiendo (ver la guía de pronunciación en las páginas x y xi).

[2] Sólo se emplea en palabras de procedencia extranjera (western, whisky).

A, B, C → letras *mayúsculas*

a, b, c → letras *minúsculas*

las **vocales** → → → a, e, i, o, u, (y)

las **consonantes** → b, c, *(ch)*, d, f, g, h, j, k, l, *(ll)*, m, n, ñ, p, q, r, s, t, v, w, x, (y), z

LA PUNTUACIÓN

.	punto
,	coma
;	punto y coma
:	dos puntos
¿...?	signos de interrogación
¡...!	signos de admiración
—	raya (para indicar el comienzo de un diálogo)
–	guión
"..."	comillas
(...)	paréntesis
...	puntos suspensivos

¡signos de admiración!

¿signos de interrogación?

GUÍA DE PRONUNCIACIÓN – REPASO

LAS VOCALES

A	**A**mérica, C**a**n**a**d**á**, m**a**m**á**, p**a**n, c**a**ro
E	**E**spaña, P**e**dro, **e**sp**e**cial, **E**cuador, t**é**
I	**i**nglés, **i**dea, **i**r, d**í**a, c**i**ta, c**i**ruela
O	**o**p**o**sición, **o**pinión, **o**ch**o**, cinc**o**, C**o**l**o**mbia, car**o**
U	**U**r**u**guay, **u**nión, **u**no, C**u**ba, **u**nir, **ú**ltimo
Y	treinta **y** dos

LOS DIPTONGOS

(combinación de dos vocales que forman una sola sílaba)

AI/AY	**ai**re	b**ai**le	**ai**slados	h**ay**	car**ay**
AU	**au**tor	**au**tobús	c**au**sa	**au**nque	p**au**sa
EI/EY	s**ei**s	v**ei**nte	tr**ei**nta	l**ey**	r**ey**
EU	**Eu**ropa	d**eu**da	**eu**foria	**eu**femismo	**eu**nuco
IA	grac**ia**s	Colomb**ia**	importanc**ia**	frecuenc**ia**	famil**ia**
IE	b**ie**n	s**ie**te	t**ie**mpo	v**ie**rnes	n**ie**ve
IO	grac**io**so	sanitar**io**	vacac**io**nes	rad**io**	D**io**s
IU	c**iu**dad	v**iu**da	tr**iu**nfo	d**iu**rno	m**iu**ra
OI/OY	**oi**go	her**oi**co	h**oy**	s**oy**	v**oy**
UA	c**ua**ndo	leng**ua**	G**ua**temala	ag**ua**	c**ua**l
UE	b**ue**no	c**ue**nta	f**ue**go	p**ue**blo	p**ue**nte
UI/UY	c**ui**dado	r**ui**do	circ**ui**to	S**ui**za	m**uy**
UO	antig**uo**	c**uo**ta	sunt**uo**so	sin**uo**so	c**uo**ciente

LAS CONSONANTES

B, V	1) —en posición **inicial**	**b**ella, **b**iblioteca, **b**lanco, **b**oliviano, **b**icicleta, **b**arco, **b**ailar, **b**usto **V**enezuela, **v**íbora, **v**ida, **v**ictoria, **v**íctima, **v**iajar, **v**erano, **v**erdad
	—después de **m** (–**mb**–)	ta**mb**ién, ta**mb**or, a**mb**ición, á**mb**ar, a**mb**iguo
	—después de **n** (–**nv**–)	i**nv**ierno, i**nv**ención, i**nv**itado, u**n v**aso
	2) —en otros casos	Cu**b**a, La Ha**b**ana, ele**v**ada, ha**b**lar, ama**b**le
C	ca, co, cu, c + consonante	**ca**beza, **ca**sa, **Co**lombia, **co**lor, **Cu**ba, **cu**ra **cl**ase, **cl**ave, **cr**uz, **cr**uel, **cr**istal, **cl**aro
	cc	le**cc**ión, a**cc**ión, a**cc**idente, di**cc**ión, di**cc**ionario
	ce ci	**ce**ro, **ce**rillas, **cé**lebre, **ce**rrar, **ce**na, **ce**bra **ci**ne, **ci**garrillos, **ci**nco, **ci**ncuenta, **ci**rco
	cua cue cuo	**cuá**nto, **cuá**ndo, **cua**tro, **cua**rto, E**cua**dor **cue**stión, **cue**sta, **cue**llo, **cue**ro **cuo**ta, **cuo**ciente
CH		**Ch**ile, **ch**ocolate, o**ch**o, mu**ch**a**ch**a, **ch**urros
D	1) —en posición **inicial** —después de **l** (–**ld**–) —después de **n** (–**nd**–)	**d**omingo, **D**ios, **d**ólar, **d**ía, **d**ocumento, **d**roga fal**d**a, cal**d**o, Cal**d**erón do**nd**e, fa**nd**ango, do**nd**equiera
	2) —en otros casos	mé**d**ico, ciu**d**a**d**, universi**d**a**d**, Ma**d**ri**d**, comi**d**a
F		**f**oto, **f**in, **f**lor, **f**also, **f**amoso, ca**f**é

G	ge (se pronuncia como «**j**») gi (se pronuncia como «**j**») ga en posición **inicial** y –**nga** go en posición **inicial** y –**ngo** gu en posición **inicial** y –**ngu** ga, go, gu, en otras posiciones gue (la –**u**– no se pronuncia) gui (la –**u**– no se pronuncia) güe (la –**u**– se pronuncia) güi (la –**u**– se pronuncia) gua en posición **inicial** gua después de una **vocal** guo después de una **vocal** gn	**ge**neral, **ge**nte, Argentina, **gé**nero, inteli**ge**nte **Gi**braltar, ima**gi**nar, **gi**tano, **gi**gantesco **ga**to, **ga**s, **ga**lán, **ga**llego; po**nga**, te**nga** **go**l, **go**bierno; po**ngo**, te**ngo**, a**ngo**sto **gu**bernamental, **gu**star, **gu**la, **gu**sano, **gu**tural; a**ngu**stia, á**ngu**lo, ha**ga**, di**go**, abri**go**, al**go**, a**gu**do, a**gu**stino **gue**rra, **gue**rrilla, Mi**gue**l **gui**tarra, **gui**ón, á**gui**la, **guí**a, **gui**llotina ver**güe**nza, nicara**güe**nse, anti**güe**dad, ci**güe**ña lin**güi**sta, pin**güi**no, bilin**güi**smo **Gua**temala, **gua**ntes, **gua**po, **gua**rdia a**gua**, a**gua**cate, para**gua**s, i**gua**l, i**gua**na anti**guo** i**gn**orante, di**gn**o, asi**gn**atura, i**gn**oto, I**gn**acio
H	es muda (no se pronuncia)	(**h**)ombre, (**h**)onor, La (**H**)abana, (**h**)ablar
J		**J**apón, via**j**e, mu**j**er, **j**oven, **j**uventud, ro**j**o
K		**k**ilómetro, **k**ilo, **k**ayac
L		**l**ibro, A**l**emania, **l**avar, **l**abrador, **l**otería, **l**una
LL		**ll**amar, ca**ll**e, **ll**uvia, caba**ll**o, **ll**egar, **ll**eno
M		**m**ano, **m**a**m**á, lla**m**ar, ca**m**ino, **m**arido, **m**aestro
N		**n**o, u**n**o, **n**orte, co**n**cierto, cami**n**ar, **n**ada, **n**ieve
Ñ		Espa**ñ**a, a**ñ**o, se**ñ**or, ma**ñ**ana, ni**ñ**o, se**ñ**orita
P		**p**an, **p**a**p**á, **p**uente, **p**alacio, **p**ueblo, **p**laza
Q	que qui	par**que**, ¿**qué**?, **que**so, por**que** a**quí**, **qui**ero, ¿**quién**?, **quí**mica
R	1) — en posición **inicial** — –**rr**– — –**lr**– y –**nr**– 2) en otros casos	**R**oma, **R**usia, **r**egión, **r**ío, **r**ebelión, **r**esponder pe**rr**o, co**rr**er, ce**rr**ar, guita**rr**a, gue**rr**a, tie**rr**a al**r**ededor, hon**r**ado, En**r**ique pe**r**o, A**r**gentina, dóla**r**, p**r**ofeso**r**a, estudia**r**, habla**r**, comp**r**ende**r**
S		**s**eñor, i**s**la, hi**s**toria, e**s**tudiante**s**, e**s**cuela, sei**s**
T		**t**ener, **t**res, **t**ren, **t**iempo, **t**omar, **t**errible
V=B	ver B, V en la página anterior	
X	x + vocal x + consonante	e**x**acto, e**x**amen, e**x**istir, e**x**ótico, e**x**uberante e**x**tranjero, e**x**plorar, e**x**plicar, e**x**traño
Y	ante una vocal suena como la –**ll**– al final de una palabra y cuando se usa como *conjunción* suena como la –**i**–.	**y**o, **y**a, ma**y**o, desa**y**uno, va**y**a, **y**en, pla**y**a ho**y**, ha**y**, so**y**, vo**y**, esto**y**, le**y**, re**y** sal **y** pimienta, ¿**Y** te vas?
Z		**z**orro, lápi**z**, Vene**z**uela, **z**apatos, **z**ócalo, pa**z**

SER – REPASO

PRESENTE DE INDICATIVO (VERBO IRREGULAR)

yo	**soy**	nosotros/nosotras	**somos**
tú	**eres**	vosotros/vosotras	**sois**
él ella usted	**es**	ellos ellas ustedes	**son**

USO DEL VERBO SER

1) **Identidad**: (Responde a la pregunta «¿*Quién*...?»)	—¿*Quién* es esa chica? —Es Juana.
2) **Profesión**: (Responde a la pregunta «¿*Qué*...?»)	—¿*Qué* es Claudia? —Claudia es *profesora*.
3) **Nacionalidad**:	Nosotros somos *españoles*.
4) **Origen**: (Responde a la pregunta «¿*De dónde*...?»)	—¿*De dónde* es Jaime? —Es *de México*.
5) **Posesión/Propiedad:** (Responde a la pregunta «¿*De quién*...?»)	—¿*De quién* es el libro? —Es *de Pablo*.
6) **Religión**:	Isabel es *católica*.
7) **Color**: (Responde a la pregunta «¿*De qué color*...?»)	El coche de Marta es *negro*. Es un vino *blanco*.
8) **Forma**:	La mesa es *rectangular*.
9) **Materia**:	La mesa es *de madera*.
10) **Expresiones de tiempo:**	—¿Qué hora es? —Son *las diez*. /Es *tarde*. Hoy es *el veinte de septiembre*.
11) **Expresiones de cantidad:**	—¿Cuánto es? —Son *diez mil* pesetas.
12) **Destino**:	El telegrama es *para Rosa*.
13) **Adjetivos** que denotan cualidades o características **esenciales, intrínsecas**.	Aquellas montañas son *altas*. Rosa es *simpática*. Diego es *bajo*.

N.B. **Tú** se usa entre amigos y con los miembros de nuestra familia.
Usted se usa para mostrar respeto o distancia y necesita la **tercera** persona singular del verbo (**usted es**).
Vosotros (plural de **tú**) se usa solamente en **España** (entre amigos y con los miembros de nuestra familia). En los países **latinoamericanos** se usa **ustedes (son)** en lugar de **vosotros (sois)**.

ESTAR – REPASO

PRESENTE DE INDICATIVO (VERBO IRREGULAR)

yo	**estoy**	nosotros/nosotras	**estamos**
tú	**estás**	vosotros/vosotras	**estáis**
él ella usted	**está**	ellos ellas ustedes	**están**

USO DEL VERBO ESTAR

El verbo **estar** se utiliza:

1) Para indicar **lugar, sitio, posición.**[1]	—¿Dónde estás? —**Estoy** *en el salón.* Acapulco **está** *en México.* El libro **está** *sobre la mesa.*
2) Con el **gerundio** (mirando, bebiendo) para indicar que la acción se está realizando en el **momento en que se habla**. (forma progresiva – pág. 145)	**Estoy** *escuchando* la radio. **Estamos** *bebiendo* té.
3) Con el **participio** (cerrado/a, abierto/a) para indicar el **resultado** de una acción o el **término (fin).**	La puerta **está** *abierta.* Las ventanas **están** *cerradas.*
4) Con la preposición «**de**» en algunos **modismos**: (estar de viaje, estar de vacaciones, estar de acuerdo, estar de mal/buen humor, etc.)	Alberto **está** *de viaje.* Lidia **está** *de vacaciones.* Pedro y Luis **están** *de acuerdo.* Siempre **estás** *de mal humor.*
5) Con **adjetivos y adverbios** que denotan una condición (física o moral) **temporal, pasajera, transitoria.**	Hoy **estoy** *triste.* Dos estudiantes **están** *ausentes.* El tiempo **está** *estupendo* hoy. **Estoy** *cansado.* **Estamos** *bien.*
6) Para expresar localización en el tiempo cuando el **sujeto** es una **persona**.	**Estamos** (nosotros) *en el siglo XX.* —*¿A cuántos* ***estamos*** hoy? —Hoy ***estamos*** *a 15 de abril.*

[1] —*¿Dónde* **está** usted? (*lugar, posición* → *estar*)
—**Estoy** *en* la oficina.

—*¿De dónde* **es** usted? (*origen* → *ser*)
—**Soy** *de* Colombia.

REPASO – SER / ESTAR

Repasa el uso del los verbos **ser** y **estar** en las páginas 4–5 y después completa con la forma correcta (**presente** de indicativo o **infinitivo**) del verbo que requiere cada frase.

1) —¿Para quién ___**es**___ esta carta?
 —Para Yolanda.
2) Sara y Vicente ________________ viajando por Europa.
3) —¿Qué hora ________________?
 —________________ las ocho y cuarto.
4) —¿A cuántos ________________ hoy?
 —________________ a diez de septiembre.
5) El señor Valverde no ________________ de buen humor hoy.
6) —¿Qué hace tu mamá?
 —________________ dentista.
7) —¿De dónde ________________ tus padres?
 —Mi papá ______________ de El Salvador y mi mamá ______________ de aquí.
8) —¿Quién me ________________ llamando?
 —________________ tu hermana.
9) —¿Cuánto ________________ el sombrero?
 —________________ cinco mil pesos.
10) La religión principal de Latinoamérica ________________ el catolicismo.
11) —¿________________ cerradas las ventanas?
 —No, hay una que ________________ abierta.
12) —¿Dónde ________________ (tú) en este momento?
 —________________ en la capital.
 —¿Hace buen tiempo allí?
 —Sí, ________________ estupendo.
 —¿Cuánto tiempo más vas a ________________ de vacaciones?
 —Dos semanas más.
13) No, no ______________ de acuerdo contigo y además, no me gusta nada tu idea.
14) —¿________________ de oro el collar?
 —No, ________________ de plata.
15) Gustavo ________________ muy astuto.
16) —¿Qué ________________ ese animal?
 —No sé, creo que ________________ un lobo.
 —Entonces sí que ________________ perdidos.
17) ________________ muy tarde, tenemos que regresar a casa.
18) —¿Te gusta mi traje?
 —Sí, el color ________________ muy bonito.
19) —¿De quién ________________ esta casa?
 —________________ de la señora Cabrera.
 —¿Te gusta?
 —Sí, ________________ muy bonita.

LOS NÚMEROS CARDINALES (REPASO)

0 cero	1 uno	2 dos	3 tres	4 cuatro	5 cinco
	6 seis	7 siete	8 ocho	9 nueve	10 diez
	11 once	12 doce	13 trece	14 catorce	15 quince
	16 dieciséis	17 diecisiete	18 dieciocho	19 diecinueve	20 veinte
	21 veintiuno	22 veintidós	23 veintitrés	24 veinticuatro	25 veinticinco
	26 veintiséis	27 veintisiete	28 veintiocho	29 veintinueve	30 treinta

30–100

30	treinta	40	cuarenta
31	treinta y uno/una	41	cuarenta y uno/una
32	treinta y dos	42	cuarenta y dos
33	treinta y tres	43	cuarenta y tres
34	treinta y cuatro	50	cincuenta
35	treinta y cinco	60	sesenta
36	treinta y seis	70	setenta
37	treinta y siete	80	ochenta
38	treinta y ocho	90	noventa
39	treinta y nueve	100	cien, ciento

¡OJO! Nota el uso de "**y**" en los números entre **31** (treinta **y** uno) y **99** (noventa **y** nueve).

21	veintiuno	31	treinta **y** uno
22	veintidós	32	treinta **y** dos
23	veintitrés	83	ochenta **y** tres
29	veintinueve	99	noventa **y** nueve

PRESENTE (VERBOS REGULARES) – REPASO

	CONJUGACIÓN 1	CONJUGACIÓN 2	CONJUGACIÓN 3
	HABL*AR*	**BEB*ER***	**ABR*IR***
yo	*ha*b**lo**	bebo	*a*bro
tú	*ha*bl**as**	bebes	*a*bres
él/ella/usted	*ha*bl**a**	bebe	*a*bre
nosotros/as	habl***amos***	beb*emos*	abr***imos***
vosotros/as	habl***áis***	beb*éis*	abr***ís***
ellos/ellas/ustedes	*ha*bl**an**	beben	*a*bren

Escribe cada **infinitivo** para indicar si pertenece a la conjugación **1**, **2** o **3**.

escribir, esperar, beber, tocar, correr,
existir, responder, abrir, pasar, leer

	1 (–AR)	2 (–ER)	3 (–IR)
			escribir

REPASO DEL PRESENTE DE INDICATIVO – VERBOS REGULARES

Completa con la forma del presente de indicativo o con el infinitivo del verbo que más conviene al significado de la frase.

pasar, esperar, tocar, beber, responder, correr, leer, abrir, existir, escribir

1) La orquesta **toca** muy bien.
2) (Yo) ____________ a mi novia a menudo.
3) Los niños ____________ mucha leche.
4) Los futbolistas ____________ rápidamente.
5) —¿Adónde van a ____________ sus vacaciones?
—Pensamos ir a Alemania.
6) El portero ____________ la puerta a las seis en punto de la mañana.
7) —¿____________ (tú) mucho?
—No, prefiero escuchar la radio o ver la televisión.
8) (Nosotras) ____________ el autobús desde hace quince minutos.
9) Los atletas ____________ a las preguntas de los reporteros.
10) Esta empresa ____________ desde el año 1960.

TENER – REPASO

Completa con la expresión apropiada.

tener, tener…años, tener calor, tener frío, tener hambre, tener sed, tener suerte, tener sueño, tener razón, tener prisa, tener miedo, tener éxito, tener ganas de, tener que, hay que

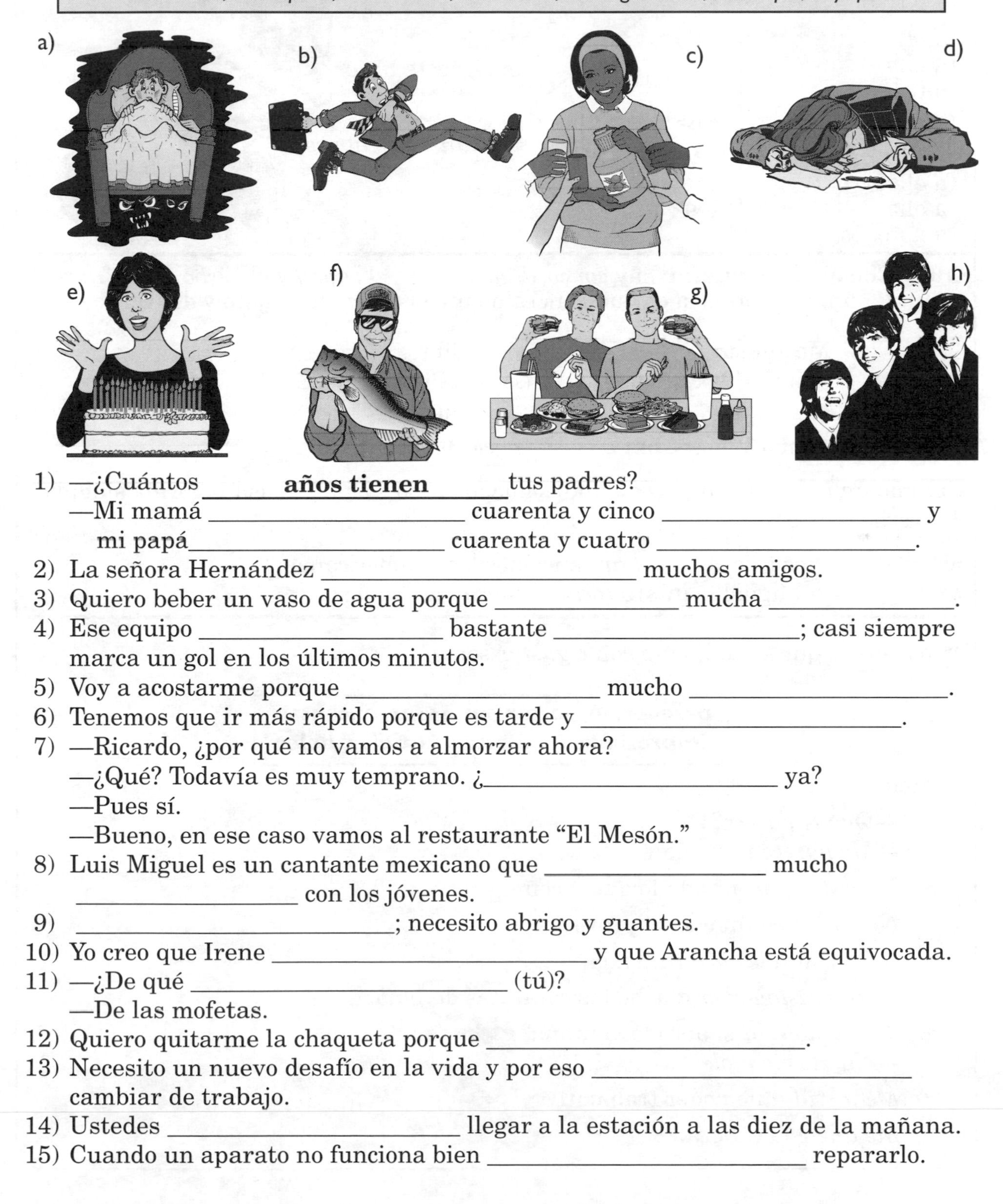

1) —¿Cuántos **años tienen** tus padres?
   —Mi mamá ______________ cuarenta y cinco ______________ y mi papá______________ cuarenta y cuatro ______________.
2) La señora Hernández ______________ muchos amigos.
3) Quiero beber un vaso de agua porque ______________ mucha ______________.
4) Ese equipo ______________ bastante ______________; casi siempre marca un gol en los últimos minutos.
5) Voy a acostarme porque ______________ mucho ______________.
6) Tenemos que ir más rápido porque es tarde y ______________.
7) —Ricardo, ¿por qué no vamos a almorzar ahora?
   —¿Qué? Todavía es muy temprano. ¿______________ ya?
   —Pues sí.
   —Bueno, en ese caso vamos al restaurante "El Mesón."
8) Luis Miguel es un cantante mexicano que ______________ mucho ______________ con los jóvenes.
9) ______________; necesito abrigo y guantes.
10) Yo creo que Irene ______________ y que Arancha está equivocada.
11) —¿De qué ______________ (tú)?
    —De las mofetas.
12) Quiero quitarme la chaqueta porque ______________.
13) Necesito un nuevo desafío en la vida y por eso ______________ cambiar de trabajo.
14) Ustedes ______________ llegar a la estación a las diez de la mañana.
15) Cuando un aparato no funciona bien ______________ repararlo.

GUSTAR – REPASO

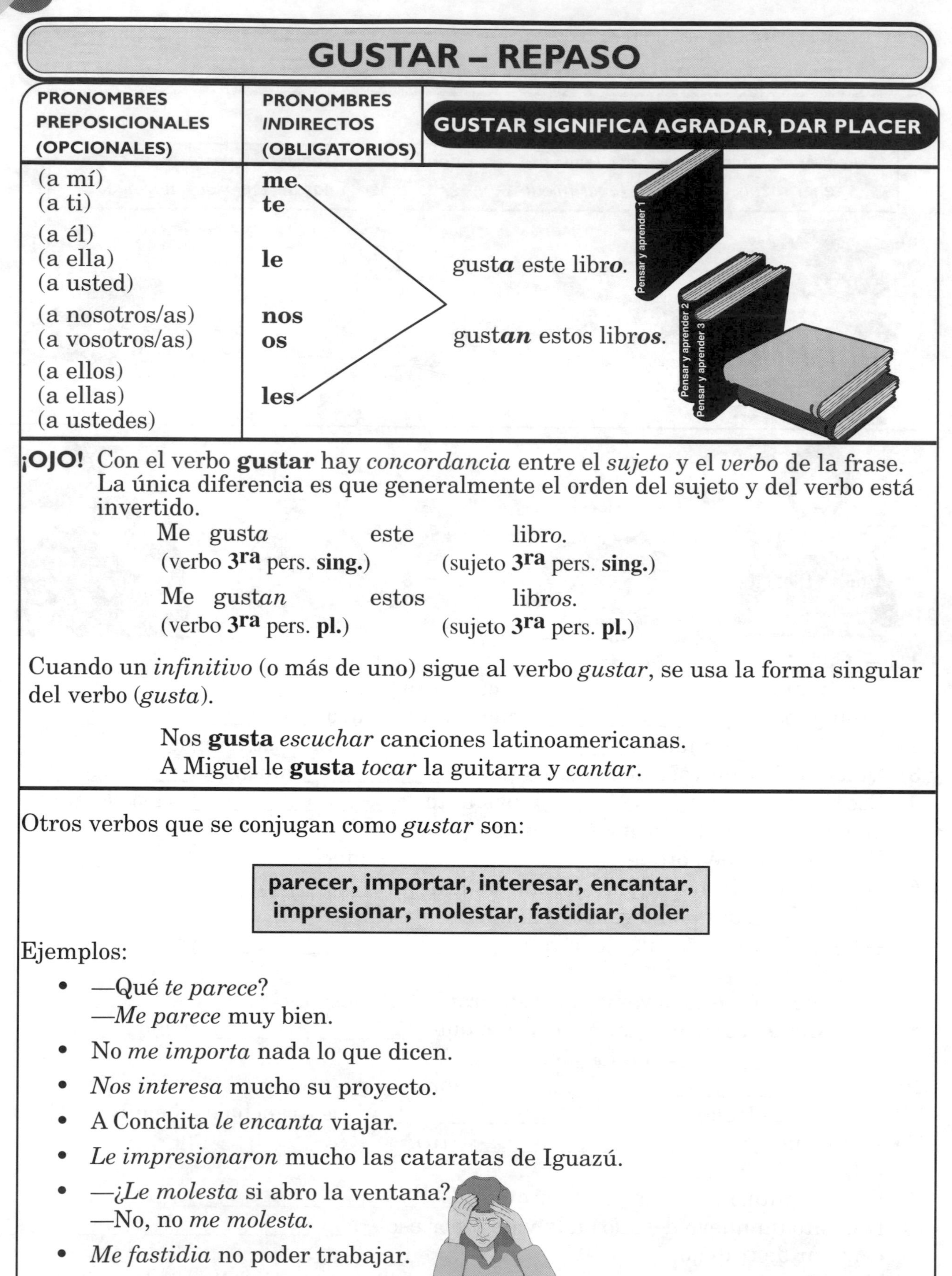

PRONOMBRES PREPOSICIONALES (OPCIONALES)	PRONOMBRES *INDIRECTOS* (OBLIGATORIOS)	GUSTAR SIGNIFICA AGRADAR, DAR PLACER
(a mí) (a ti)	**me** **te**	
(a él) (a ella) (a usted)	**le**	gust***a*** este libr***o***.
(a nosotros/as) (a vosotros/as)	**nos** **os**	gust***an*** estos libr***os***.
(a ellos) (a ellas) (a ustedes)	**les**	

¡OJO! Con el verbo **gustar** hay *concordancia* entre el *sujeto* y el *verbo* de la frase. La única diferencia es que generalmente el orden del sujeto y del verbo está invertido.

Me gust*a*	este	libr*o*.
(verbo **3ra** pers. **sing.**)		(sujeto **3ra** pers. **sing.**)
Me gust*an*	estos	libr*os*.
(verbo **3ra** pers. **pl.**)		(sujeto **3ra** pers. **pl.**)

Cuando un *infinitivo* (o más de uno) sigue al verbo *gustar*, se usa la forma singular del verbo (*gusta*).

Nos **gusta** *escuchar* canciones latinoamericanas.
A Miguel le **gusta** *tocar* la guitarra y *cantar*.

Otros verbos que se conjugan como *gustar* son:

parecer, importar, interesar, encantar, impresionar, molestar, fastidiar, doler

Ejemplos:

- —Qué *te parece*?
  —*Me parece* muy bien.
- No *me importa* nada lo que dicen.
- *Nos interesa* mucho su proyecto.
- A Conchita *le encanta* viajar.
- *Le impresionaron* mucho las cataratas de Iguazú.
- —¿*Le molesta* si abro la ventana?
  —No, no *me molesta*.
- *Me fastidia* no poder trabajar.
- *Me duele* la cabeza. → →

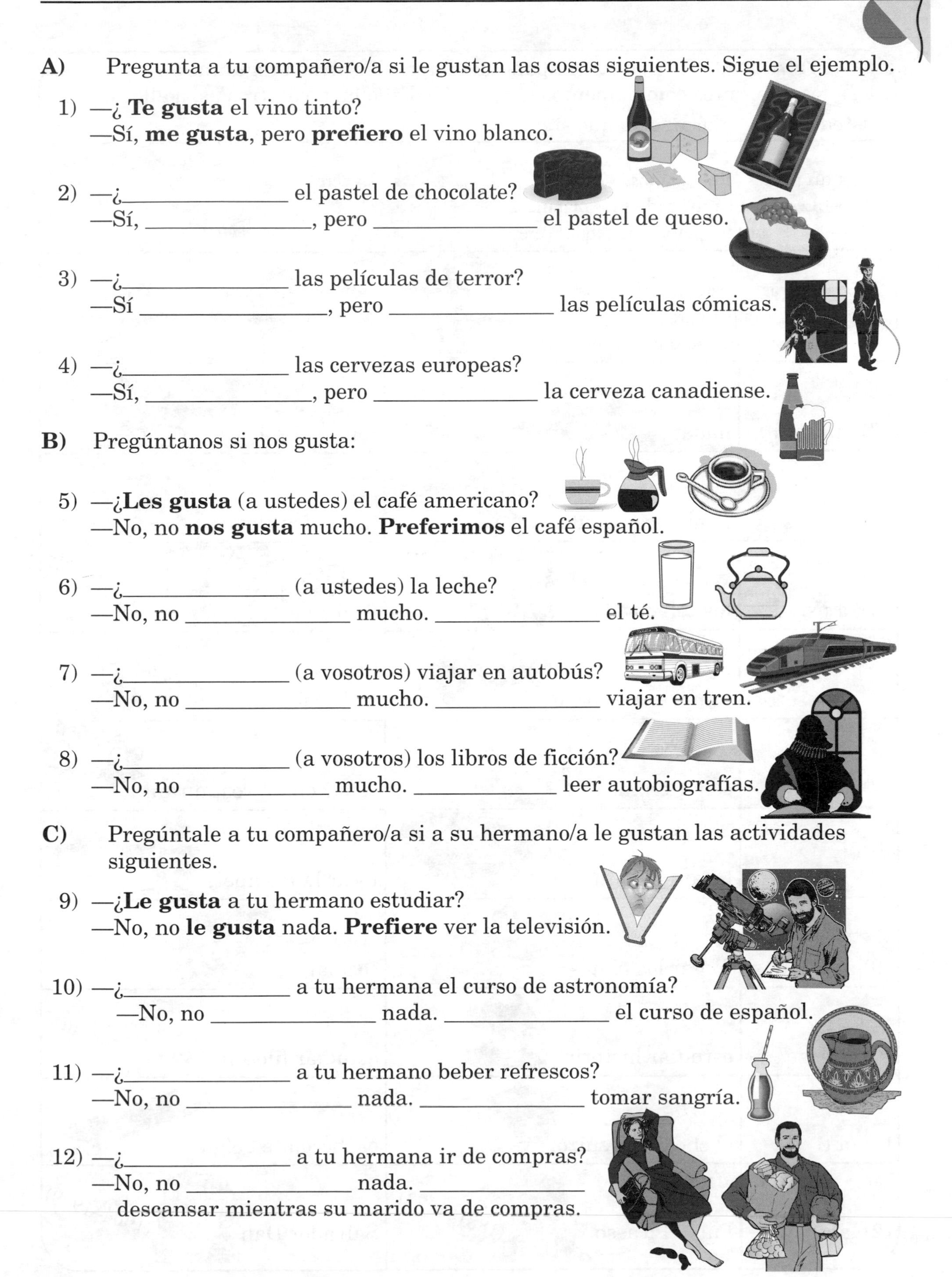

A) Pregunta a tu compañero/a si le gustan las cosas siguientes. Sigue el ejemplo.

1) —¿ **Te gusta** el vino tinto?
—Sí, **me gusta**, pero **prefiero** el vino blanco.

2) —¿______________ el pastel de chocolate?
—Sí, ______________, pero ______________ el pastel de queso.

3) —¿______________ las películas de terror?
—Sí ______________, pero ______________ las películas cómicas.

4) —¿______________ las cervezas europeas?
—Sí, ______________, pero ______________ la cerveza canadiense.

B) Pregúntanos si nos gusta:

5) —¿**Les gusta** (a ustedes) el café americano?
—No, no **nos gusta** mucho. **Preferimos** el café español.

6) —¿______________ (a ustedes) la leche?
—No, no ______________ mucho. ______________ el té.

7) —¿______________ (a vosotros) viajar en autobús?
—No, no ______________ mucho. ______________ viajar en tren.

8) —¿______________ (a vosotros) los libros de ficción?
—No, no ______________ mucho. ______________ leer autobiografías.

C) Pregúntale a tu compañero/a si a su hermano/a le gustan las actividades siguientes.

9) —¿**Le gusta** a tu hermano estudiar?
—No, no **le gusta** nada. **Prefiere** ver la televisión.

10) —¿______________ a tu hermana el curso de astronomía?
—No, no ______________ nada. ______________ el curso de español.

11) —¿______________ a tu hermano beber refrescos?
—No, no ______________ nada. ______________ tomar sangría.

12) —¿______________ a tu hermana ir de compras?
—No, no ______________ nada. ______________ descansar mientras su marido va de compras.

PRÁCTICA ORAL I: Con tu compañero/a improvisa otras preguntas y respuestas. Usa los diferentes complementos (a ti, a usted/él/ella, a vosotros/as, a ellos/ellas/ustedes) y la información que sigue.

1) a tus padres los plátanos las cerezas
—¿Les gustan a tus padres los plátanos?
—Sí, les gustan, pero prefieren las cerezas.

2) a vosotros patinar esquiar
—¿Os gusta patinar?
—Sí, nos gusta, pero preferimos esquiar.

3) a usted	nadar	tomar el sol
4) a ellos	la música popular	la música clásica
5) a usted	las telenovelas	ir al cine (Carmen Maura, actriz española)
6) a vosotros	comprar un coche	ir de vacaciones
7) a Irene	cenar en casa	cenar en un restaurante
8) a Diego	tocar el violín	tocar la trompeta
9) a ustedes	fregar los platos	cocinar
10) a José	estudiar historia	estudiar filosofía (Sócrates)
11) a ti	el chocolate suizo	el chocolate belga
12) a usted	Pablo Picasso (1881–1973)	Salvador Dalí (1904–1989)

¡CONVERSEMOS!

PRÁCTICA ORAL 2 Raquel y Mónica comparten un apartamento. Mira la lista de cosas que hay en su apartamento y forma frases explicando lo que les gusta, lo que hacen en su tiempo libre, etc… Utiliza los verbos siguientes para hacer tus frases.

escuchar, fumar, viajar, tocar, ir en bicicleta, manejar/conducir, hablar por teléfono, trabajar, sacar fotos, jugar al tenis, ser vegetarianas, leer/estudiar, acampar/hacer camping

—discos compactos de Mozart, Bach y Vivaldi
—las llaves de un coche deportivo
—una guitarra y un piano
—un cartel que dice: «No fumes por favor»
—unos carteles turísticos
—una máquina fotográfica
—muchos libros
—una tienda de campaña
—dos bicicletas
—un gato y un perro
—un ordenador
—en la nevera hay sólo legumbres y fruta
—dos raquetas de tenis
—dos teléfonos

Ejemplo: Raquel y Mónica escuchan música clásica.
o A Raquel y a Mónica les gusta la música clásica.

PRÁCTICA ORAL 3 Pregunta a tu compañero/a lo que le gusta, lo que hace en su tiempo libre…

est. 1 —¿Qué tipo de música te gusta? ¿Te gustan Mozart y Vivaldi?
est. 2 —En general escucho música moderna pero me gustan algunos compositores clásicos como Mozart y Vivaldi.

PRESENTE (VERBOS IRREGULARES) – REPASO

Repasa las formas de los verbos irregulares del presente de indicativo en las páginas 139–141 y después completa las frases con el verbo más adecuado.

ser, estar, tener, ir, ver, hacer, poner, ponerse

1) —¿Qué **haces** esta tarde?
—__________ a casa de un amigo.
2) —¿Cómo __________ tus padres?
—Muy bien, gracias.
3) —¿Puedes ver algo?
—No, no __________ nada.
4) Mi amigo es una persona bastante desorganizada; nunca __________ sus cosas en orden. Yo, al contrario siempre __________ mis cosas en orden.
5) —¿A qué hora __________ el sol en general?
—Bueno, aquí en los trópicos __________ bastante temprano, como a las seis y media.
6) —¿Cuántos hermanos __________ usted?
—__________ dos hermanos y dos hermanas.
7) —¿Quién __________?
—__________ yo, Miguel.
—Bueno, pasa, pasa.

saber, traer, dar, salir, decir, oír, venir, ir

8) —¿A qué hora __________ a trabajar hoy?
—Tengo que salir de casa a las siete.
9) Margarita __________ alemán.
10) —¿Cuánto dinero me __________ para ir de compras?
—Te __________ treinta mil pesetas (30.000).
11) —¿A qué hora __________ el tren para Valencia?
—__________ a las dos y cuarto.
12) Mi abuelo tiene ochenta años y no __________ muy bien.
13) —Mamá, ¿me __________ un regalo de Colombia?
—Sí, te __________ un recuerdo muy bonito.
14) Estas naranjas __________ de Valencia, España.
15) Solamente __________ (yo) mentiras de vez en cuando.

pensar, contar, jugar, perder, volver, sentirse, dormir, servir

16) Yo __________ cosas a menudo.
17) Cada equipo __________ un partido por semana.
18) Nosotras __________ volver a nuestra patria algún día.
19) —¿Quién __________ la comida hoy?
—La __________ yo.

20) —¿Cómo ______________________________?
—Me siento muy bien.
21) (Nosotros) ______________________________ nueve horas por noche.
22) (Yo) ______________________________ los días que quedan antes de las vacaciones.
23) —¿A qué hora ______________________________ ustedes a casa?
— ______________________________ a las ocho.

cerrar, preferir, pedir, acordarse, acostarse, despedirse, poder (2), reír

24) De noche nosotros siempre ______________________________ las ventanas.
25) Linda y yo no ______________________________ asistir a la reunión esta tarde.
26) —¿ ______________________________ de mí?
—¡Claro que ______________________________ de ti!
27) Antes de irnos de viaje, ______________________________ de nuestros amigos.
28) —¿A qué hora ______________________________ usted normalmente?
— ______________________________ a las once y media de la noche.
—Entonces, ______________________________ llamarle antes de las once y media.
—Sí, vale.
29) —A mí me gusta vivir en la costa.
—En cambio, yo ______________________________ vivir en la meseta porque el clima es más templado.
30) Mauricio siempre ______________________________ cigarrillos a sus amigos.
31) (Nosotros) ______________________________ mucho con los chistes de Marisa.

mentir, divertirse, morir, repetir, vestirse, despertarse, almorzar, querer

32) Inés y Jaime estudian lenguas porque ______________________________ ser traductores.
33) Paquito ya ______________________________ solo.
34) Mis padres ______________________________ muy temprano porque empiezan a trabajar a las siete de la mañana.
35) Los niños ______________________________ mucho en la playa.
36) —¿Dónde ______________________________ (nosotras) hoy?
—En un restaurante.
37) Cada año muchas personas ______________________________ a causa del calor intenso.
38) Se dice que los gitanos ______________________________ mucho.
39) La profesora ______________________________ las frases.

CRUCIGRAMA – LA ANATOMÍA

Completa el crucigrama para ayudarte a encontrar las respuestas.

VERTICAL

1) El ______________________ es el órgano central de la circulación de la sangre.
2) Las personas que corren mucho desarrollan músculos muy fuertes en las ________________.
3) La frente, la nariz, la boca y las mejillas forman parte de la ________________.
   Tener dos ______________________ = ser hipócrita.
4) En cada mano y en cada pie tenemos cinco ____________________.
5) La ______________________ es la parte superior del cuerpo humano.
   Estar a la ______________________ de una empresa. (= dirigir una empresa)

HORIZONTAL

2) Cristina tiene el ______________________ rubio.
6) Algunos hombres no se afeitan. Les gusta llevar una ________________.
7) Los ______________________ sirven para ver.
8) La ______________________ sirve para hablar.
9) Los ______________________ sirven para mascar los alimentos.
10) Proverbios:
   a) En ______________________ cerrada no entran moscas. (= es bueno callar)
   b) Por la ________________ muere el pez. (= no conviene hablar demasiado)
11) La parte superior y posterior del cuerpo humano, desde los hombros hasta la cintura se llama la ______________________. Muchas personas sufren de dolor de ______________________.
   (Hablar mal de uno a sus ______________________ s. (= hablar mal de él en su ausencia)
12) Los ______________________ forman la parte exterior de la boca que cubren la dentadura.

CRUCIGRAMA – LA ANATOMÍA

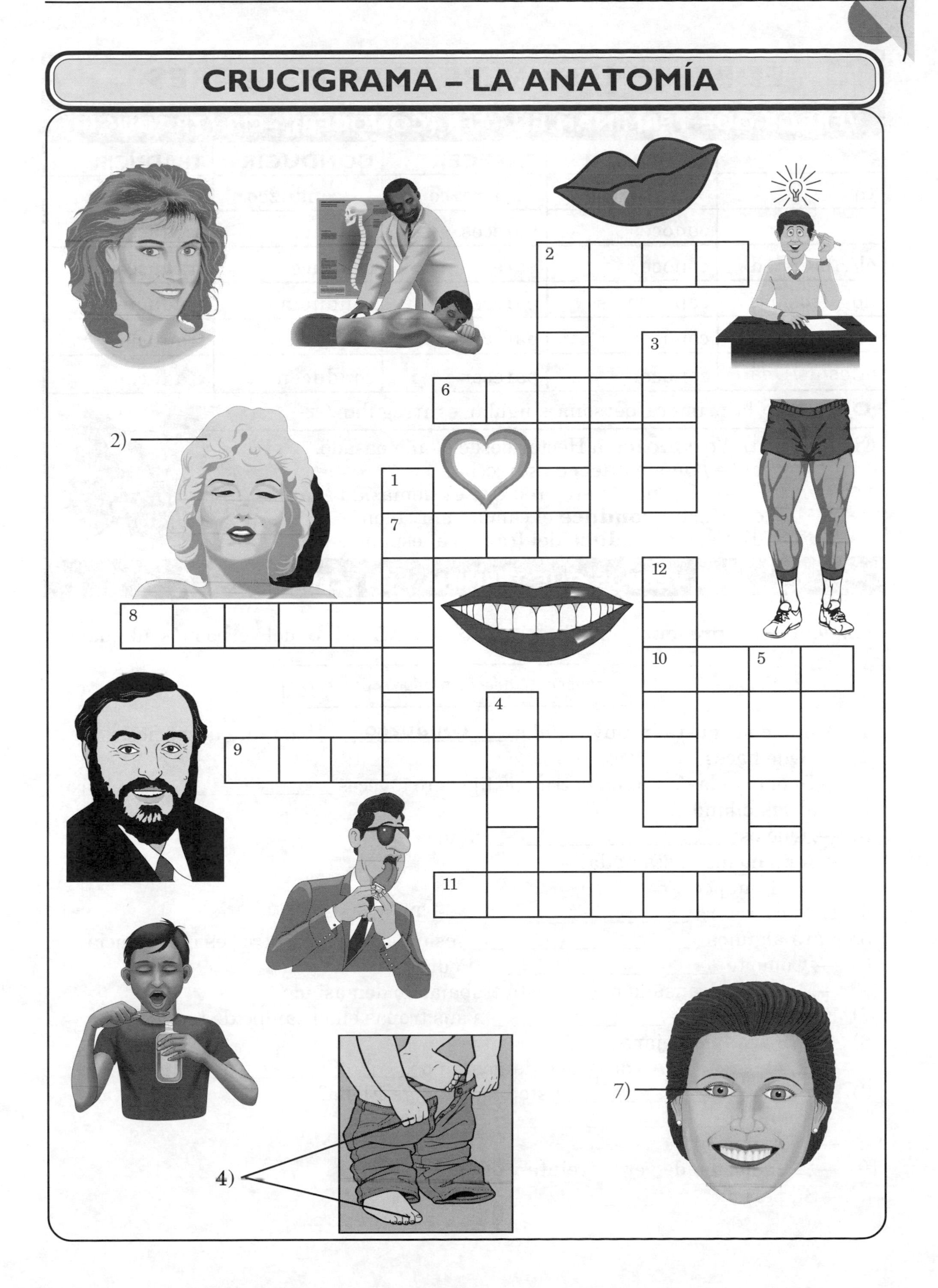

EL PRESENTE – VERBOS IRREGULARES

VERBOS QUE TERMINAN EN *–CER* (CONOCER), *–CIR* (TRADUCIR)

	CONOCER	PARECER	CONDUCIR	TRADUCIR
yo	cono**z**co	pare**z**co	condu**z**co	tradu**z**co
tú	conoces	pareces	conduces	traduces
él/ella/usted	conoce	parece	conduce	traduce
nosotros/as	conocemos	parecemos	conducimos	traducimos
vosotros/as	conocéis	parecéis	conducís	traducís
ellos/as/Uds.	conocen	parecen	conducen	traducen

¡OJO! Sólo la primera persona singular es irregular (-**z**-).

Ejemplos:
a) Yo **conozco** a Héctor desde el año pasado.
b) —¿Qué te **parece** este coche?
—Me gusta pero creo que es demasiado caro.
c) Martín **conduce** el camión muy bien.
d) Cecilia **traduce** del francés al español.

VERBOS QUE TERMINAN EN *–CER, –CIR*

Completa con el **presente** de indicativo (o con el **infinitivo**) del verbo más adecuado.

conocer, traducir, conducir, parecer

1) A mí no me gusta ir muy rápido; **conduzco** bastante despacio.
2) —¿Qué haces?
—Bueno, todavía no tengo trabajo fijo pero a veces __________ algún libro al castellano.
3) —¿Qué os __________ mi idea?
—A mí no me gusta nada.
—A mí tampoco.
4) Esta carretera __________ a Tegucigalpa.
5) Para algunos __________ es un arte y para otros es una ciencia.
6) —¿Cómo te __________ Pedro?
—Me parece cansado porque está trabajando demasiado.
7) El general __________ a sus tropas en el campo de batalla.
8) —¿Te gusta manejar?
—Sí, me gusta, pero desgraciadamente no __________ muy bien.
9) —¿__________ usted a mi amiga Elena?
—No, no la __________. ¿De dónde es?
—De Asunción.
10) —¿Tiene usted de veras treinta y dos años?
—Sí, pero __________ más joven.

OTROS VERBOS QUE TERMINAN EN *–CER, –CIR*

	MERECER	OFRECER	AGRADECER	PRODUCIR
yo	merezco	ofrezco	agradezco	produzco
tú	mereces	ofreces	agradeces	produces
él/ella/usted	merece	ofrece	agradece	produce
nosotros/as	merecemos	ofrecemos	agradecemos	producimos
vosotros/as	merecéis	ofrecéis	agradecéis	producís
ellos/as/Uds.	merecen	ofrecen	agradecen	producen

¡OJO! Sólo la primera persona singular es irregular (-**z**-).

Ejemplos:
a) Los estudiantes que estudian mucho **merecen** buenas notas.
b) —¿Fumas?
—Sí.
—Entonces te **ofrezco** un cigarrillo.
c) **—Agradezco** mucho tu generosidad.
d) La compañía Apple **produce** computadoras.

VERBOS QUE TERMINAN EN *–CER Y –CIR*

Completa con el **presente** (o el **infinitivo**) del verbo más adecuado.

merecer, producir, ofrecer, agradecer

1) Hoy día hay muchas empresas que **producen** computadoras.
2) (Yo) le ____________ mil dólares por este cuadro.
3) El Palacio Real de Madrid es un monumento histórico importante y por lo tanto ____________ ser visitado por los turistas.
4) Después de tanto trabajo (yo) ____________ una cerveza.
5) Algunos centros de esquí ____________ nieve artificial.
6) —¿Qué le puedo ____________ ?
—Una copa de jerez, por favor.
7) —¿Quiere usted cenar con nosotros esta noche?
—Lo siento, no puedo. Pero le ____________ mucho su invitación.
8) Yo trabajo seis días por semana y ____________ un salario mejor.
9) El puesto que ocupa Luis ____________ buenas condiciones de trabajo.
10) Gracias, Rosario. (Yo) Te ____________ mucho tu ayuda.

EL PRESENTE – VERBOS IRREGULARES

VERBOS QUE TERMINAN EN *–GER* (ESCOGER), *–GIR* (DIRIGIR)

	COGER	ESCOGER	DIRIGIR	EXIGIR
yo	**cojo**	**escojo**	**dirijo**	**exijo**
tú	coges	escoges	diriges	exiges
él/ella/usted	coge	escoge	dirige	exige
nosotros/as	cogemos	escogemos	dirigimos	exigimos
vosotros/as	cogéis	escogéis	dirigís	exigís
ellos/as/Uds.	cogen	escogen	dirigen	exigen

¡OJO! En la primera persona singular la **-g-** cambia en **-j-**.

Ejemplos:
a) La policía **coge** al criminal.
b) No sé cuál de las dos alternativas debo **escoger**.
c) Hay cada vez más mujeres que **dirigen** sus propias empresas.
d) Los padres **exigen** una buena disciplina por parte de sus hijos.

VERBOS QUE TERMINAN EN *–GER, –GIR*

Completa con el **presente** (o el **infinitivo**) del verbo más adecuado.

coger, escoger, dirigir, exigir

1) Este barril **coge** mucha cerveza. (= contener)
2) —¿Qué pasa aquí? ____________ una explicación inmediatamente.
   —Bueno, aquí no pasa nada grave.
3) —¿Quién ____________ esta empresa?
   —La ____________ yo; soy el presidente.
4) Este director de orquesta ____________ muy bien.
5) —Niño, tienes que ____________ entre los dos juguetes porque sólo tengo dinero para comprarte uno.
   —Bueno, mamá. ____________ éste.
6) Para tener éxito en las ligas profesionales se ____________ mucha disciplina.
7) (Yo) ____________ el tren cada mañana a las siete en punto. (= tomar)
8) Esta radio ____________ el servicio internacional de Radio España. (= captar)
9) En otoño mucha gente va al campo para ____________ las manzanas.

OTROS VERBOS QUE TERMINAN EN *–GER, –GIR*

	PROTEGER	RECOGER	CORREGIR	ELEGIR
yo	prote**j**o	reco**j**o	corr**ij**o	el**ij**o
tú	proteges	recoges	corr**i**ges	el**i**ges
él/ella/usted	protege	recoge	corr**i**ge	el**i**ge
nosotros/as	protegemos	recogemos	corregimos	elegimos
vosotros/as	protegéis	recogéis	corregís	elegís
ellos/as/Uds.	protegen	recogen	corr**i**gen	el**i**gen

¡OJO! En la primera persona singular la **-g-** cambia en **-j-**.
Corregir y **elegir** tienen una segunda irregularidad. La **-e-** cambia en **-i-** en todas las personas del presente menos nosotros/as y vosotros/as.

Ejemplos:
a) Hay que **proteger** la ciudad contra un ataque imprevisto.
b) En otoño mucha gente va al campo para **recoger** las manzanas.
c) La profesora **corrige** los exámenes.
d) Cada cuatro o cinco años **elegimos** un nuevo gobierno.

VERBOS QUE TERMINAN EN *–GER , –GIR*

Completa con la forma del **presente de indicativo** del verbo más adecuado.

proteger, recoger, corregir, elegir

1) Los soldados **protegen** a nuestra nación.
2) —¿Qué haces?
—__________________ estos papeles que están en el suelo.
3) El partido liberal __________________ un nuevo líder este año.
4) Leo de nuevo mi composición y __________________ los errores ortográficos antes de entregarla al profesor.
5) (Yo) __________________ a mi hermanito.
6) Los Molina __________________ las tareas de sus hijos.
7) Los estudiantes __________________ al presidente de la asociación de estudiantes.
8) (Yo) __________________ este camino porque es más corto.
9) —¿ A qué hora me __________________, mamá? (= ir a buscar)
—Te __________________ a las siete y media.
10) La cirugía estética__________________ muchos defectos físicos.

EL PRESENTE – VERBOS IRREGULARES

VERBOS QUE TERMINAN EN *–UIR* (INCLUIR)

	INCLUIR	CONSTRUIR	INSTRUIR	CONTRIBUIR
yo	inclu**yo**	constru**yo**	instru**yo**	contribu**yo**
tú	inclu**yes**	constru**yes**	instru**yes**	contribu**yes**
él/ella/usted	inclu**ye**	constru**ye**	instru**ye**	contribu**ye**
nosotros/as	incluimos	construimos	instruimos	contribuimos
vosotros/as	incluís	construís	instruís	contribuís
ellos/as/Uds.	inclu**yen**	constru**yen**	instru**yen**	contribu**yen**

¡OJO! En todas las personas excepto nosotros/as y vosotros/as se añade **-y-**.

Ejemplos: a) **Incluyo** a Mario entre mis mejores amigos.
b) Nuestra compañía **construye** solamente edificios.
c) La maestra **instruye** a los alumnos.
d) Muchas personas **contribuyen** con dinero y tiempo a organizaciones de caridad.

VERBOS QUE TERMINAN EN *–UIR*

Completa con el **presente** (o el **infinitivo**) del verbo más adecuado.

incluir, construir, instruir(se), contribuir

1) Cada verano, los niños **construyen** castillos de arena en la playa.
2) (Nosotros) ____________________ mucho a la promoción de nuestra candidata.
3) Para progresar hay que ____________________ .(forma pronominal)
4) El Tratado de Libre Comercio (TLC) entre los Estados Unidos de América, el Canadá y México ____________________ la formación de un tribunal tripartito.
5) Todos los empleados ____________________ al mantenimiento de los programas sociales.
6) El precio ____________________ el vuelo en avión, el transporte entre el aeropuerto y el hotel y dos semanas en el hotel Bella Vista.
7) Nosotras ____________________ a nuestros estudiantes utilizando los métodos más modernos.
8) Ferrari ____________________ coches deportivos.

OTROS VERBOS QUE TERMINAN EN *–UIR*

	DESTRUIR	DISTRIBUIR	EXCLUIR	HUIR
yo	destru**y**o	distribu**y**o	exclu**y**o	hu**y**o
tú	destru**y**es	distribu**y**es	exclu**y**es	hu**y**es
él/ella/usted	destru**y**e	distribu**y**e	exclu**y**e	hu**y**e
nosotros/as	destruimos	distribuimos	excluimos	huimos
vosotros/as	destruís	distribuís	excluís	huís
ellos/as/Uds.	destru**y**en	distribu**y**en	exclu**y**en	hu**y**en

¡OJO! En todas las personas excepto nosotros/as y vosotros/as se añade **-y-**.

Ejemplos: El gobierno va a **destruir** esas casas y construir otras más modernas.
El cartero **distribuye** las cartas.
Tengo un salario de cuarenta mil dólares, pero esto **excluye** los impuestos (sobre la renta).
Los animales **huyen** del fuego.

VERBOS QUE TERMINAN EN *–UIR*

Completa con el **presente** (o el **infinitivo**) del verbo más adecuado.

destruir, distribuir, excluir, huir

1) Primero la profesora corrige los exámenes y luego los **distribuye** a los estudiantes.
2) Nosotras ____________________ esa hipótesis porque no tiene ningún sentido.
3) Si el gobierno continúa haciendo errores, va a ____________________ la economía de nuestro país.
4) Los animales ____________________ del fuego.
5) Nuestro tío está tan enojado con nosotros que nos va a ____________________ de su herencia.
6) Muchos canadienses ____________________ del frío y van a pasar las vacaciones de invierno en los países latinoamericanos.
7) Los terremotos y los huracanes ____________________ muchas propiedades.
8) El profesor ____________________ los exámenes a los estudiantes.

CRUCIGRAMA

Completa el crucigrama para ayudarte a encontrar las respuestas.

VERTICAL

2) La ___**cuchara**___ es un utensilio de mesa que se usa para llevar a la boca alimentos líquidos (sopas).
4) El ____________________ es un recipiente generalmente redondo en el cual se sirve la comida.
5) _____ ____________________ _____ ____________________ y la pasta dentífrica se usan para limpiarse los dientes.
10) El ____________________ se usa para lavar los platos.
11) La ____________________ se usa para secarse el cuerpo.
12) Para jugar al tenis se necesitan una ______________ y una pelota.
15) El ____________________ (o la nevera) es un electrodoméstico que sirve para conservar los alimentos fríos.
16) La ____________________ es un aparato que se utiliza para guisar (cocinar) los alimentos.
17) El ____________________ se usa para tostar el pan.
18) La ________________ es un aparato doméstico de limpieza que aspira el polvo.

HORIZONTAL

1) El ____________________ es un utensilio de mesa con varios dientes que se utiliza para coger los alimentos.
3) El ____________________ es un utensilio de mesa que se usa para cortar los alimentos.
6) El ____________________ se usa para peinarse.
7) Las ________________ o el encendedor se usan para encender los cigarrillos.
8) La ________________ es un electrodoméstico que se utiliza para lavar la ropa.
9) La ________________ es un electrodoméstico que se usa para secar la ropa.
13) Para escuchar discos se necesita un ____________________ .
14) Para escuchar cintas o casetes se necesita una ________________ .
19) La _____________ es un utensilio que sirve para planchar la ropa.
20) El ____________________ , invención de Graham Bell, permite la comunicación oral entre personas que están separadas por cierta distancia.

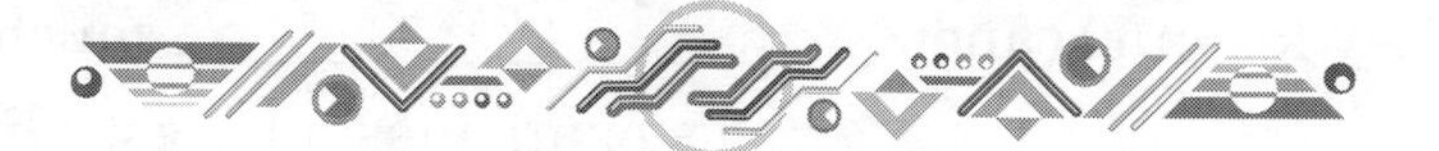

CRUCIGRAMA

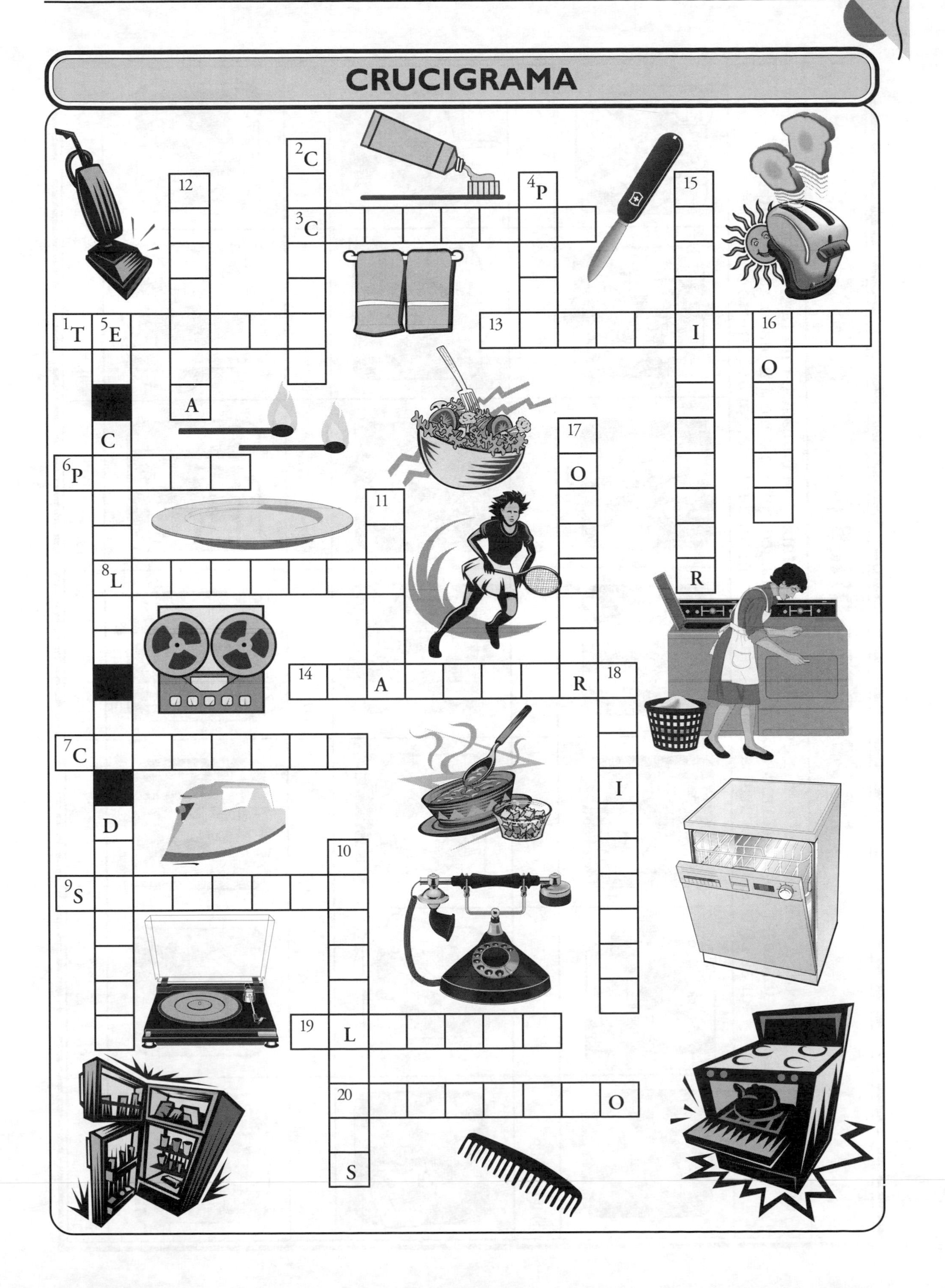

LAS PROFESIONES (I)

un carpintero, una doctora, una cantante, una enfermera, una contable, un cineasta, una farmacéutica, los pilotos, un astronauta, un mecánico, un carnicero, un cajero, un músico, un cocinero, un mago, un maquinista, un electricista, un cura/sacerdote, un bailarín, un dentista, un arquitecto

1) un bailarín	2)	3)	4)	5)	6)	7)
8)	9)	10)	11)	12)	13)	14)
15)	16)	17)	18)	19)	20)	21)

LA CASA – EL EXTERIOR

las ventanas, la chimenea, el balcón, el buzón, el ladrillo, una casa encantada, la puerta, el arbusto, el humo, el muro, la escalinata, el tejado

1) **el humo** 2)__________ 3)__________

4)__________ 5)__________ 6)__________

7)__________ 8)__________ 9)__________

10)__________ 11)__________ 12)__________

¡VAMOS A CONVERSAR! (págs. 1–27)

1) Contesta a las preguntas con frases completas.
2) Practica con tu compañero/a. Uno lee las preguntas y el otro escucha y responde sin consultar sus hojas (y viceversa).
3) Sin consultar tus hojas, improvisa preguntas y responde a las de tu compañero/a.

1) —¿Te gustan las películas de terror?
—______________________________
2) —¿Te gusta ir de compras?
—______________________________
3) —¿Te duele la cabeza?
—______________________________
4) —¿Vas al campo a menudo?
—______________________________
—¿Qué haces allí?
—______________________________
5) —¿Conduces?
—______________________________
—¿Qué tipo de coche conduces?
—______________________________
6) —¿Puedes traducir del inglés al francés?
—______________________________
7) —¿Coges el autobús para volver a casa?
—______________________________
8) —¿Tienes que recoger a alguien hoy?
—______________________________
9) —¿Les gusta a los niños construir castillos de arena en la playa?
—______________________________
10) —¿Contribuyes a alguna organización o asociación?
—______________________________
11) —¿Tocas algún instrumento?
—______________________________
12) —¿Sacas muchas fotos cuando estás de vacaciones?
—______________________________
13) —¿Tienen ustedes un lavaplatos en casa?
—______________________________
14) —¿Eres muy activo?
—______________________________
—¿Eres muy ordenado?
—______________________________
15) —¿Te molesta cuando tus amigos llegan tarde a una cita?
—______________________________

A, DE, EN | PREPOSICIONES | PARA, CON

Completa cada frase con una **preposición** si es necesario.

a, de, en, para, con

El patio de los Leones
La Alhambra, Granada, España
(siglos XIII y XIV)

1) «Dale limosna, mujer,
que no hay en la vida nada,
como la pena de ser
ciego ____**en**____ Granada.»
(versos escritos por el poeta mexicano
Francisco A. de Icaza al visitar Granada)
2) Busco __________ mi hermano.
3) Tenemos __________ muchos amigos.
4) Vamos __________ casa.
5) Son __________ Chile.
6) —¡Ésta no es hora de entrar __________ casa!
7) Timoteo sigue sufriendo __________ estómago.
8) Mis padres trabajan __________ la compañía Pemex.
9) Es un hombre político que aspira __________ la gloria.
10) Estoy comprometido __________ un amigo.
11) Elena sale __________ sus amigos.
12) Nos estamos acercando __________ casa.
13) —¡No hay que fiarse __________ nadie!
14) El señor está descansando __________ la cama.

La Alhambra, jardines

EL PRESENTE – VERBOS IRREGULARES

A) VERBOS QUE TERMINAN EN *–GUIR* (DISTINGUIR)

	DISTINGUIR	SEGUIR	CONSEGUIR	PERSEGUIR
yo	distin**go**	s***i*go**	cons***i*go**	pers***i*go**
tú	distingues	s***i***gues	cons***i***gues	pers***i***gues
él/ella/usted	distingue	s***i***gue	cons***i***gue	pers***i***gue
nosotros/as	distinguimos	seguimos	conseguimos	perseguimos
vosotros/as	distinguís	seguís	conseguís	perseguís
ellos/as/Uds.	distinguen	s***i***guen	cons***i***guen	pers***i***guen

¡OJO! Por consideraciones fonéticas, estos verbos pierden la -**u**- (distingu**i**r) en la primera persona singular del presente (distin***go***).
Nota que los verbos s**e**guir, cons**e**guir y pers**e**guir tienen una segunda irregularidad. La -**e**- (s**e**guir) cambia en -**i**- (sigo) en todas las personas excepto nosotros/as (seguimos) y vosotros/as (seguís).

B) EL VERBO JUGAR – (DIPTONGACIÓN *U → UE*)

yo	**jue**go	nosotros/as	jugamos
tú	**jue**gas	vosotros/as	jugáis
él/ella/usted	**jue**ga	ellos/ellas/Uds.	**jue**gan

Ejemplos:
a) Rafael es daltoniano; no **distingue** ciertos colores, sobre todo el rojo y el verde.
b) El perro **sigue** fielmente a su amo.
c) Después de sus estudios, Ana espera **conseguir** un buen puesto.
d) La policía **persigue** al criminal.
e) Los niños **juegan** un partido de fútbol todas las tardes.

Completar las frases con el **presente** de indicativo de los verbos siguientes.

distinguir(se), seguir, conseguir, perseguir, jugar

1) Algunas personas **siguen** ciegamente a los televangelistas.
2) En España, como en muchos otros países, la gente __________ a la lotería.
3) Hoy el Real Madrid __________ un partido de fútbol contra el Ajax de Amsterdam.
4) Desde ahora en adelante __________ (yo) los consejos de mi abogado.
5) Nosotros no __________ resolver este rompecabezas.
6) Terribles recuerdos __________ a los antiguos combatientes de la guerra de Vietnam.

7) El lenguaje y la razón _______________ al ser humano de los animales.
8) En el norte del país _______________ haciendo frío.
9) Los dictadores _____________ al pueblo. (= atormentar con medidas tiránicas)
10) Federico y Raquel _______________ por su aplicación a los estudios. (= destacarse, sobresalir)
11) Por más que (yo) lo intente, no _______________ entender a ese autor.
12) Muchos futbolistas sudamericanos _______________ en equipos europeos.

ASOCIACIÓN DE PALABRAS

Encuentra y escribe las palabras que tienen una asociación semántica con las palabras que están a la izquierda.

1) corregir (corrijo: e → i)	**los errores**	las plantas
2) jugar a (juego: u → ue)	______________	las paredes
3) quejarse de	______________	los errores
4) pintar	______________	la lotería
5) regar (riego: e → ie)	______________	una canción
6) traducir (traduzco)	______________	un documento
7) huir de la/del (huyo)	______________	las instrucciones
8) seguir (sigo: e → i)	______________	bien/mal
9) conducir (conduzco)	______________	realidad/fuego
10) cantar	______________	la cuenta de la electricidad

Improvisa cortas conversaciones con tu compañero usando las palabras asociadas.

est. 1 —¿Te gustan las plantas?
est. 2 —Sí, me gustan mucho.
est. 1 —Entonces tienes muchas plantas en casa, ¿verdad?
est. 2 —Sí, mi casa está llena de plantas. Y a ti, ¿te gustan?
est. 1 —Sí, me gustan también, sobre todo las desérticas.
est. 2 —Ah sí, esas plantas no ocupan mucho espacio y además no es necesario regarlas a menudo.
est. 1 —¿Hablas a tus plantas?
est. 2 —Bueno, de vez en cuando…

EL PRETÉRITO – VERBOS REGULARES

	CONJUGACIÓN 1	CONJUGACIÓN 2	CONJUGACIÓN 3
	HABL*AR*	**COM*ER***	**VIV*IR***
yo	habl**é**	com**í**	viv**í**
tú	habl**aste**	com**iste**	viv**iste**
él/ella/usted	habl**ó**	com**ió**	viv**ió**
nosotros/as	habl**amos**	com**imos**	viv**imos**
vosotros/as	habl**asteis**	com**isteis**	viv**isteis**
ellos/ellas/ustedes	habl**aron**	com**ieron**	viv**ieron**

¡OJO!: En el **pretérito** las **terminaciones** de la **segunda** y de la **tercera** conjugaciones son **iguales**.

USO DEL PRETÉRITO

El **pretérito** de indicativo se usa para expresar *acciones terminadas en un pasado que está separado del presente por un período de tiempo*: una semana, un mes, un día, una noche, un año, etc. Por eso, el **pretérito** se usa con varias expresiones temporales como: *la semana pasada, ayer, anoche, el año pasado, el mes pasado, el martes pasado, en 1988, en aquel momento, de repente, entonces, etc.* En otras palabras, **el pretérito se usa para expresar acciones terminadas en el pasado en un tiempo preciso, expresado o implícito.** Se sabe **cuando** ocurrió la acción.

Ejemplos: *Ayer* **hablé** por teléfono con mi hermana.
El sábado pasado **trabajé** hasta las seis.
Después del curso **volví** a casa.
Ayer **comimos** una paella.
Viví en México *desde 1970 hasta 1982.*
Los Juegos Olímpicos de *1992* **ocurrieron** en Barcelona, España.

EL PRETÉRITO – VERBOS REGULARES

Completa cada frase con el **pretérito de indicativo** del verbo más adecuado.

correr, escuchar, esperar, sufrir, fumar, aprender, enseñar, cantar, beber, salir, contestar

1) Ayer (nosotros) **escuchamos** la opera Carmen de Georges Bizet.
2) El tren ________________ de la estación a las ocho.
3) El miércoles (yo) no ________________ ni siquiera un cigarrillo.
4) El niño ________________ toda la leche.
5) El señor Muñoz ________________ matemáticas durante quince años.
6) Rosario y Cristina ________________ casi diez kilómetros.
7) El conjunto musical ________________ varias canciones en español.

8) (Yo) ________________ el autobús casi media hora.
9) Arturo ________________ a la carta de su novia.
10) El abuelo de Diego ________________ un ataque cardíaco.
11) Nosotros ________________ dos canciones.

tomar, escribir, comprar(se), vender, jugar, ver, entrar, perder, subir, estudiar, comprender, responder

1) Muchos estudiantes **respondieron** perfectamente a todas las preguntas.
2) La profesora ________________ en la clase a las dos en punto.
3) —¿Cómo ________________ (tú) al cuarto piso?
—En el ascensor.
4) —Pedro, ¿cuántas horas ________________ para el examen?
—________________ tres horas.
5) La semana pasada Luisa ________________ el tren de las nueve.
6) —¿Cuántas postales ________________ vosotras desde Suiza?
—________________ cinco postales.
7) El lunes pasado (yo) ________________ una buena película.
8) —¿ ________________ vuestra casa?
—Sí, la ________________ por ciento veinte mil dólares.
9) —¿________________ (vosotras) al tenis el domingo pasado?
—¡Claro que ________________!
—Además probé la raqueta que ________________ el lunes pasado.
10) Raquel ________________ el problema inmediatamente.
11) Estoy seguro que ________________ mi cartera en el autobús.

Comenta los dibujos e inventa un título (humorístico, si es posible) que ilustre el enfoque de cada uno.

EL MARAVILLOSO MUNDO DE LAS ARTES

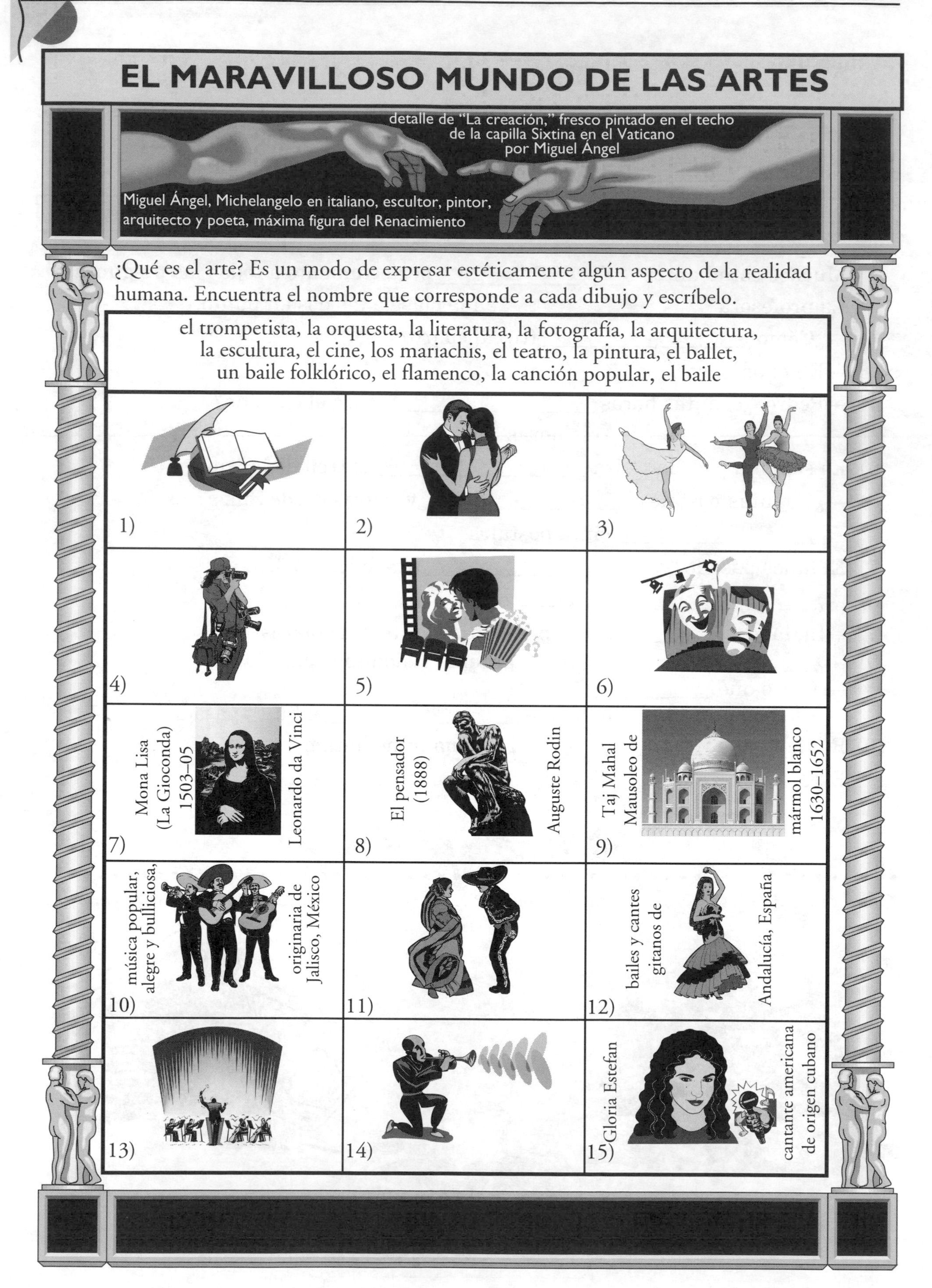

¿Qué es el arte? Es un modo de expresar estéticamente algún aspecto de la realidad humana. Encuentra el nombre que corresponde a cada dibujo y escríbelo.

el trompetista, la orquesta, la literatura, la fotografía, la arquitectura, la escultura, el cine, los mariachis, el teatro, la pintura, el ballet, un baile folklórico, el flamenco, la canción popular, el baile

1)	2)	3)
4)	5)	6)
7)	8)	9)
10)	11)	12)
13)	14)	15)

TEST (1-34)

A) Completa con el presente del verbo **ser** o **estar**, según convenga a cada frase.

1) ________________ las cuatro y cuarto.
2) Camila ________________ de viaje.
3) Mis padres ________________ de Uruguay.
4) —¿Dónde ________________ (tú)?
—En la universidad.

B) Escribe los números siguientes.

1) 15 ____________________
2) 66 ____________________
3) 28 ____________________
4) 100 ____________________

C) Completa con la forma del presente de indicativo o con el infinitivo del verbo que más conviene al significado de la frase.

tomar, bajar, responder, creer, subir, asistir, cocinar

1) Carolina casi siempre ____________________ a las preguntas del profesor.
2) El padre de Graciela ____________________ divinamente.
3) Nosotros ____________________ el autobús para ir a trabajar.
4) Tengo que ____________ y ____________ por esta escalera varias veces al día.
5) (Yo) ____________________ que tienes razón.
6) Los estudiantes ____________________ a todas las clases.

D) Completa cada frase con el presente del verbo **tener** y un modismo.

1) Vamos a comer porque ____________________.
2) Voy a dormir porque estoy cansado y ____________________.
3) Nicolás ________________ de la oscuridad.

E) Completa cada frase con el presente del verbo **gustar.**

1) A nosotros ____________________ viajar en tren.
2) —¿____________________ a ustedes el chocolate belga?
—Sí, ____________________ muchísimo.
3) —¿____________________ (a ti) leer?
—No, prefiero practicar deportes.

F) Completa con la **preposición** adecuada, si es necesario.

en, para, con, a, de

1) Voy ________________ casa a comer.
2) Conchita es ________________ Costa Rica.
3) Las estudiantes están ________________ la cafetería.
4) Este coche es viejo y ya no sirve ________________ nada.
5) —¿________________ quién vas al cine?
—________________ Alfredo.

G) Completa con el **presente** (o con el **infinitivo**) del verbo más adecuado.

divertirse, tener, querer, oír, acostarse, saber, hacer, dar, almorzar, pedir

1) —¿Por qué no ________________ juntos hoy?
—Muy buena idea; conozco un buen restaurante cerca de aquí.
2) Los chicos y las chicas ________________ mucho jugando al fútbol.
3) Yo ________________ temprano y me levanto temprano.
4) Como ________________ muchísimo sueño me voy a dormir.
5) A mí no me gusta ________________ dinero a mis padres.
6) —¿Qué ________________ este fin de semana?
—Yo ________________ quedarme en la ciudad, pero mi novio insiste en ir al campo.
7) El profesor ________________ muchas tareas a los estudiantes.
8) —Oye, ¿________________ dónde está Miguel?
—No, no tengo la menor idea.
9) Hay tanto ruido en esta sala que no se ________________ nada.

H) Completa con el **presente** (o con el **infinitivo**) del verbo más adecuado.

exigir, conducir, ofrecer, huir, jugar, excluir

1) Yo te ________________ mi ayuda.
2) Nuestro equipo ________________ un partido importante hoy.
3) Todavía no sé ________________ .
4) Los ladrones ________________ de la policía.
5) Aprender una lengua ________________ muchos esfuerzos.
6) Nosotros ________________ esa hipótesis por ser tan irreal.

I) Escribe la **letra** de la sección **B** que corresponde mejor a cada número de la sección **A**.

A		B
1) tener	________	A) una grabadora
2) limpiarse	________	B) no entran moscas
3) correr	________	C) una toalla
4) pelo	________	D) cortar
5) en boca cerrada	________	E) prisa
6) fotógrafo	________	F) regar las flores
7) el jardinero	________	G) picante
8) secarse con	________	H) rubio
9) polvo	________	I) el buzón
10) cuchillo	________	J) libros
11) cartas	________	K) sacar fotos
12) una comida	________	L) aspiradora
13) quejarse	________	M) los dientes
14) un estante	________	N) sin razón
15) cintas y casetes	________	O) las piernas

J) Completa con el **pretérito** del verbo más adecuado.

escribir, vivir, responder, esperar, pasar, bailar, llover

1) Mi hermano _______________ una carta a su novia.
2) Mis padres _______________ en México muchos años.
3) Pedro _______________ a la pregunta del profesor.
4) Nosotros _______________ el autobús durante veinte minutos.
5) —¿Dónde _______________ usted las vacaciones?
   —En las Islas Canarias.
6) —¿_______________ ustedes mucho anoche?
   —Sí, nos divertimos mucho.
7) No _______________ ni un solo día durante nuestras vacaciones.

K) Identifica cada dibujo. Escribe el **nombre** y el **artículo**.

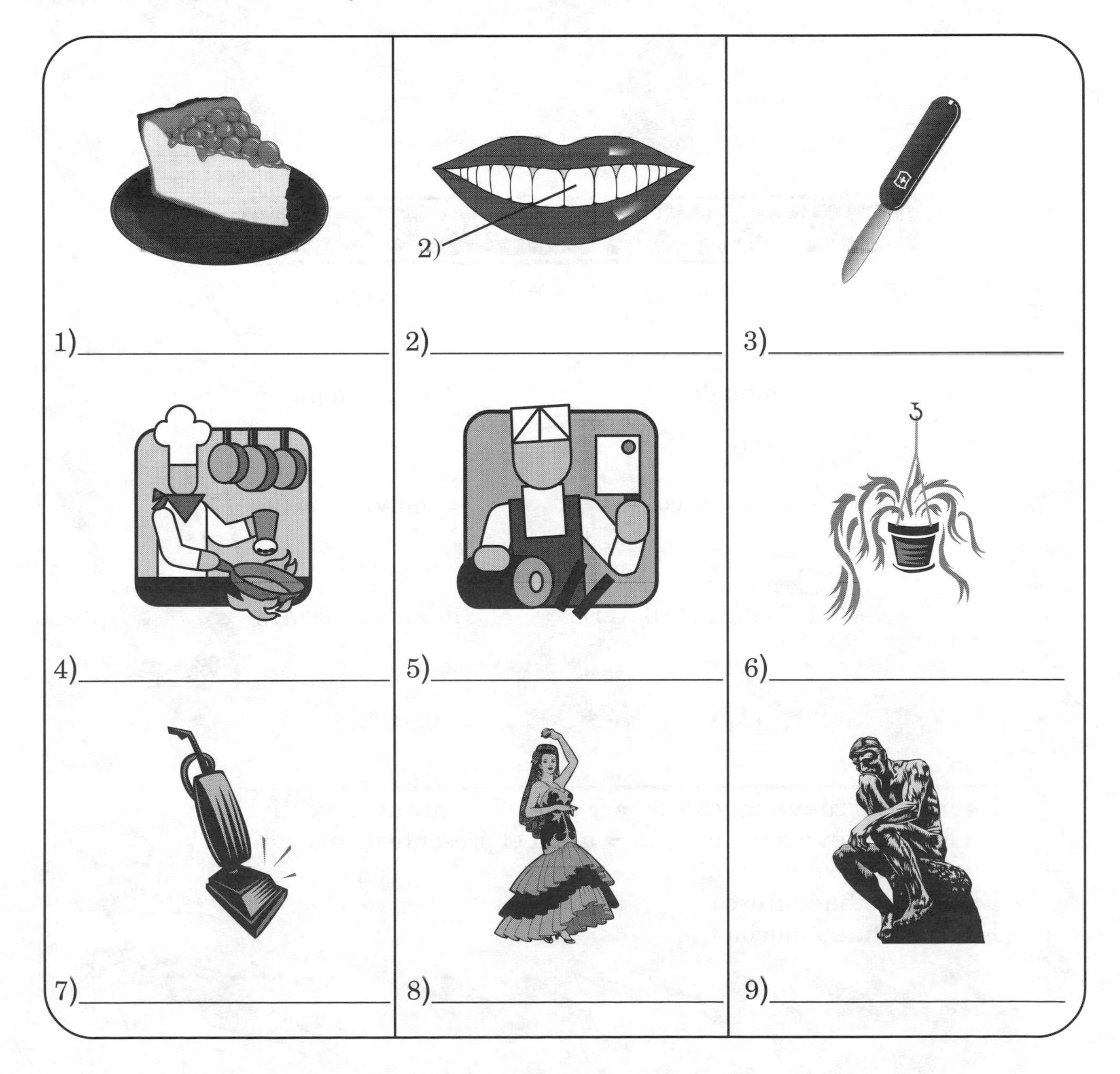

¿QUÉ TIEMPO HACE?

EXPRESIONES CON EL VERBO «*HACER*»

HACE buen tiempo. ≠ mal tiempo.

(mucho) calor. ≠ (mucho) frío.

(mucho) sol. (mucho) viento.

fresco.

EXPRESIONES CON EL VERBO «*ESTAR*»

ESTÁ *(muy) caliente.* ≠ *(muy) frío.*

nublado. ≠ despejado.

(muy) seco. ≠ (muy) húmedo.

lloviendo (llover). *nevando* (nevar).

estupendo.

En invierno **nieva** mucho. (*e* ➔ *ie* en el presente de indicativo)
En mayo **llueve** a menudo. (*o* ➔ *ue* en el presente de indicativo)
En julio **hace** mucho calor.
En octubre **hace** fresco.
En enero **hace** mucho frío.

LOS MESES Y LAS ESTACIONES (REPASO)

Los **meses** del año son:

enero, febrero, marzo, abril, mayo, junio, julio, agosto, septiembre, octubre, noviembre y diciembre

Las **estaciones** del año son:

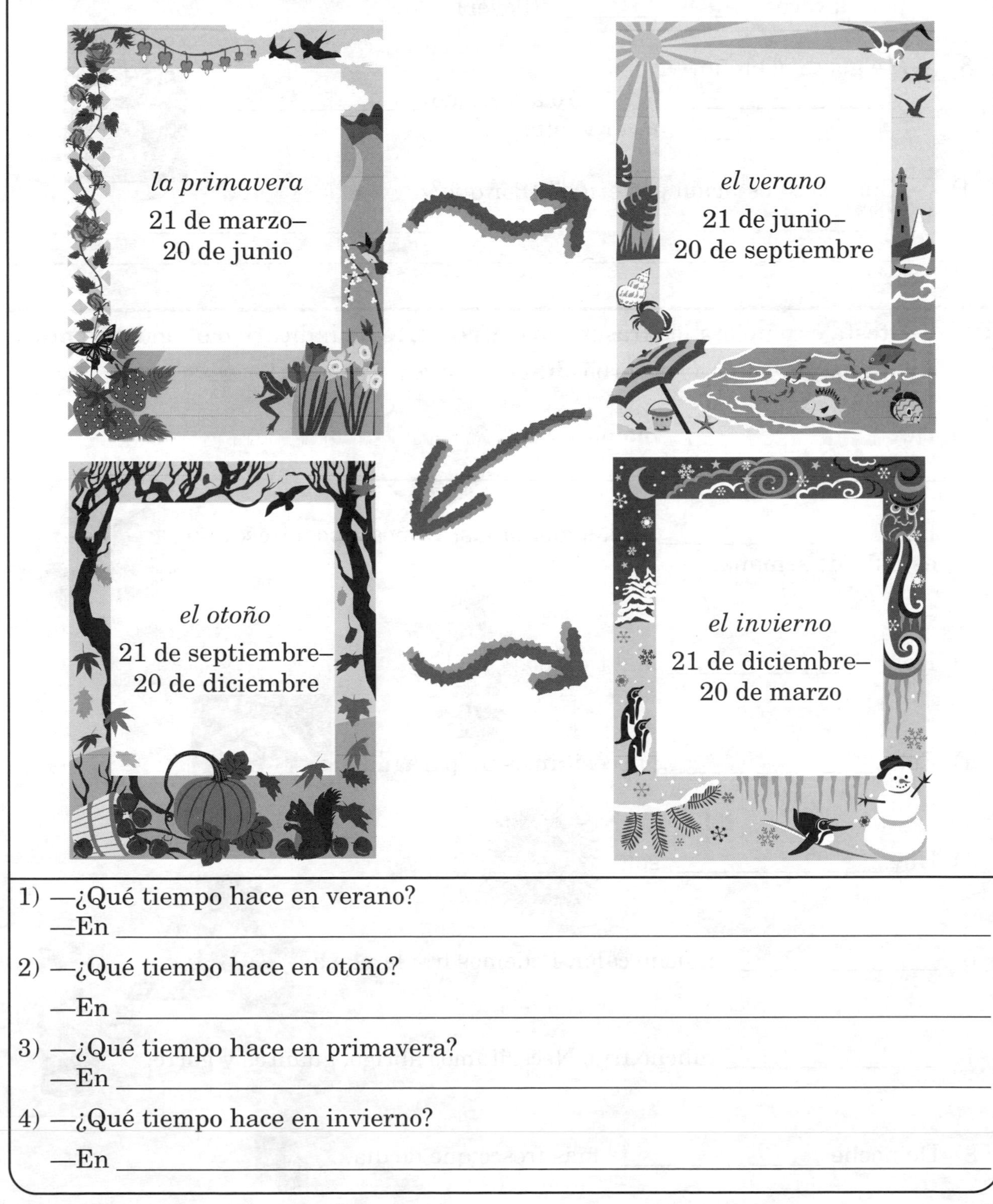

1) —¿Qué tiempo hace en verano?
—En ______________________________

2) —¿Qué tiempo hace en otoño?
—En ______________________________

3) —¿Qué tiempo hace en primavera?
—En ______________________________

4) —¿Qué tiempo hace en invierno?
—En ______________________________

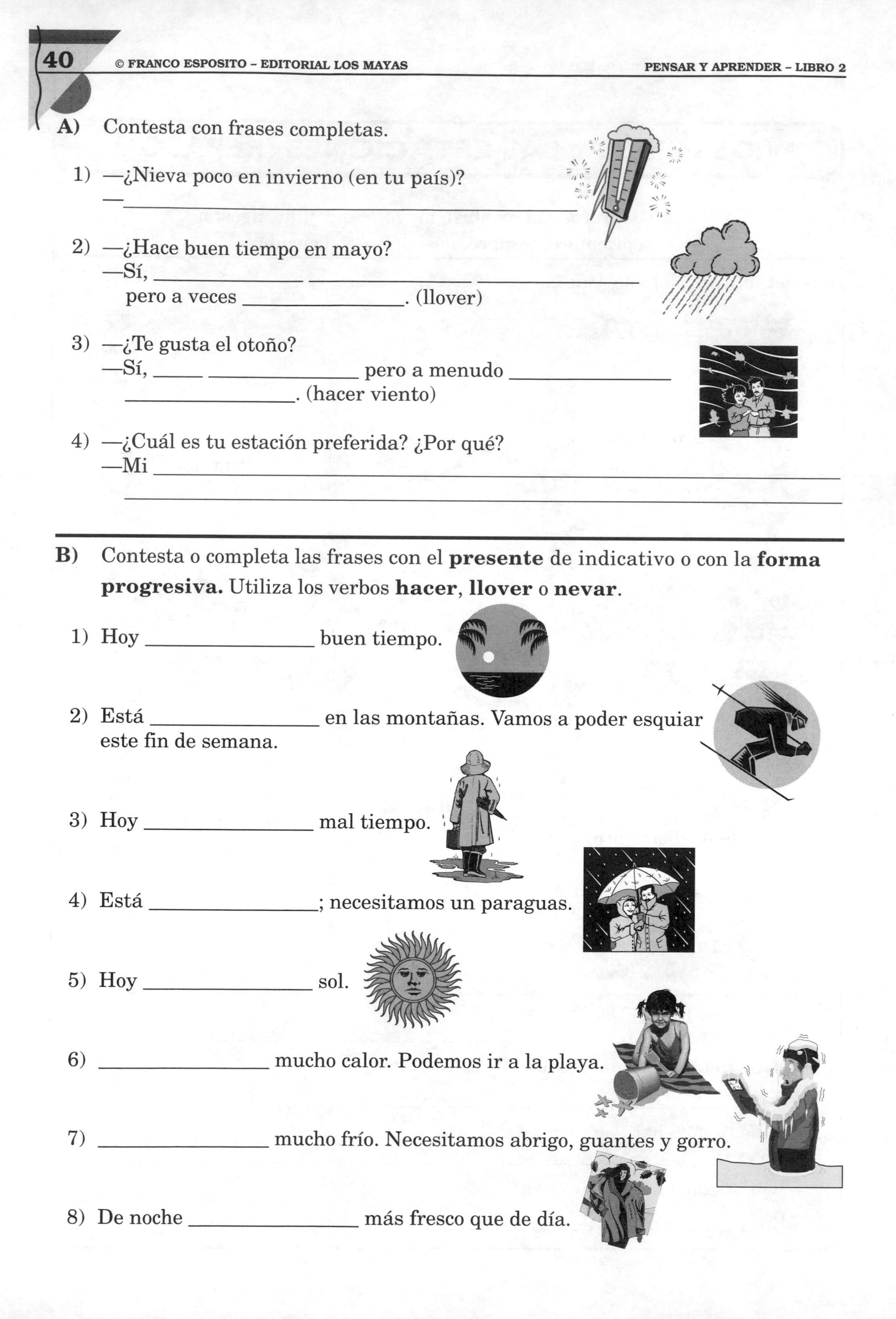

A) Contesta con frases completas.

1) —¿Nieva poco en invierno (en tu país)?
—____

2) —¿Hace buen tiempo en mayo?
—Sí, ____________ ____________ ____________
pero a veces ____________. (llover)

3) —¿Te gusta el otoño?
—Sí, _____ ____________ pero a menudo ____________
____________. (hacer viento)

4) —¿Cuál es tu estación preferida? ¿Por qué?
—Mi ____
____

B) Contesta o completa las frases con el **presente** de indicativo o con la **forma progresiva.** Utiliza los verbos **hacer**, **llover** o **nevar**.

1) Hoy ____________ buen tiempo.

2) Está ____________ en las montañas. Vamos a poder esquiar este fin de semana.

3) Hoy ____________ mal tiempo.

4) Está ____________; necesitamos un paraguas.

5) Hoy ____________ sol.

6) ____________ mucho calor. Podemos ir a la playa.

7) ____________ mucho frío. Necesitamos abrigo, guantes y gorro.

8) De noche ____________ más fresco que de día.

¡VAMOS A CONVERSAR! (págs. 29–40)

1) Contesta a las preguntas con frases completas.
2) Practica con tu compañero/a. Uno lee las preguntas y el otro escucha y responde sin consultar sus hojas (y viceversa).
3) Sin consultar tus hojas, improvisa preguntas y responde a las de tu compañero/a.

1) —¿Tienes muchos amigos?
—

2) —¿Compras muchos billetes de lotería?
—

3) —¿Sigues trabajando los fines de semana?
—

4) —¿Conoces la ópera «Carmen» de Georges Bizet?
—

5) —¿Cuándo la escuchaste la última vez?
—

6) —¿Contestaste alguna carta la semana pasada?
—

7) —¿Jugaste un partido de fútbol ayer?
—

8) —¿Respondiste a todas las preguntas del último examen de español?
—

9) —¿Bebiste mucha cerveza en la fiesta?
—

10) —¿Tomaste el autobús ayer?
—

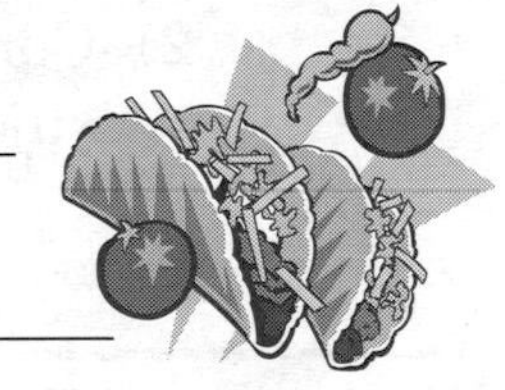

11) —¿Cómo es la comida mexicana? (picante)
—

12) —¿Te molesta si alguien fuma cuando estás comiendo?
—

13) —¿Hace buen tiempo hoy?
—

14) —¿En qué estación hace mucho viento?
—

15) —¿Nieva en tu país? ¿Cuándo?
—

16) —¿En qué estación hace mucho calor?
—

LOS PRONOMBRES PERSONALES

SUJETOS	OBJETOS DE PREPOSICIÓN (para, por, de, con ≠ sin)	FORMAS ESPECIALES CON LA PREPOSICIÓN «CON»
yo	para ***mí***	Luis está ***conmigo.***
tú	para ***ti***	Yolanda va a ir ***contigo.***
él	para él	
ella	para ella	
usted	para usted	
nosotros/as	para nosotros/as	
vosotros/as	para vosotros/as	
ellos	para ellos	
ellas	para ellas	
ustedes	para ustedes	

PRONOMBRES PERSONALES – OBJETOS DE PREPOSICIÓN

Algunas **preposiciones** son:

por, para, con ≠ sin, delante de ≠ detrás de, sobre ≠ debajo de, en, cerca de ≠ lejos de, hacia, en frente de, al lado de

¡OJO!: 1) Nota las formas particulares **conmigo** y **contigo** cuando los pronombres personales **mí** y **ti** siguen a la preposición **con**.

Paco va a jugar **con*migo***.
Ellos quieren hablar **con*tigo***.
Pero ➟ No quieren hablar con **él/nosotros...**

2) Con las preposiciones «**según**» y «**entre**» se usan los pronombres sujetos «**yo**, **tú**» y no «***mí***, ***ti***».

Entre **tú** y **yo** no hay secretos.
Según **tú** es mejor quedarse en casa.

a) —Esta manzana es *para* (usted) **usted**, profesor.
b) El perro corre *detrás de* (Paquito) **él**.
c) Alicia está sentada *al lado de* (Rigoberta) **ella**.

Sustituye las palabras entre paréntesis con el *pronombre de preposición* adecuado. Después identifica el dibujo que corresponde a cada frase.

1) Estas flores son *para* (Virginia) ______________.
2) El pastel es *para* (Vicente) ______________ porque hoy es su cumpleaños.
3) Pamela está haciendo un experimento *con* (su colega) ______________.
4) Samuel está charlando *con* (Sara y Guillermo) ______________.
5) Julio baila *con* (Soledad) ______________.
6) Estos regalos son *para* (mis hijos) ______________.

José Adolfo		Carlos
#	#	#
		Ramón
#	#	#

7) Ramón: —Estas flores son *para* (mi mujer) ______________.
8) Carlos (a su novia):—Querida, tengo unas flores *para* (tú) ______________.
9) ¿Quién está *entre* (Adolfo y José) ______________?
10) Dorotea se casa *con* (Samuel) ______________.
11) Graciela está bailando *delante de* (los turistas) ______________.
12) Lola está jugando un partido de ajedrez *contra* (Timoteo) ______________.

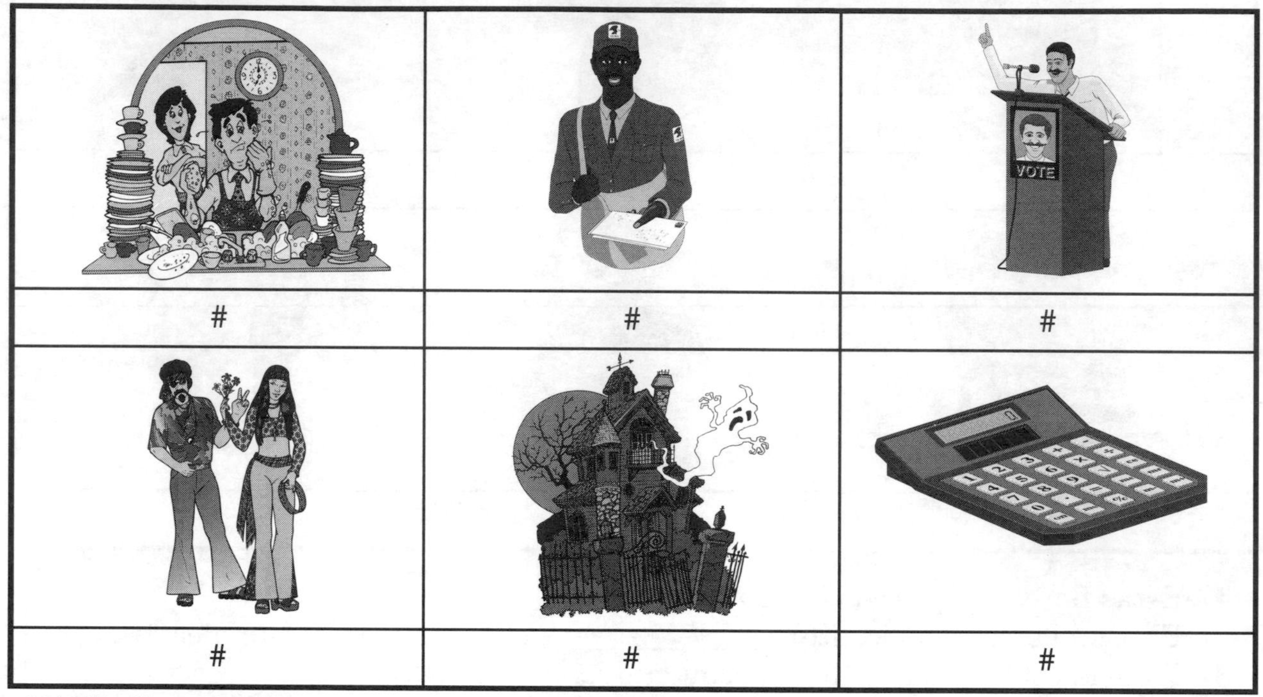

13) Nadie quiere vivir *con* (yo) ______________, así que vivo solo en esta bonita casa encantada.
14) Creo que Marta dejó todos los platos de la semana *para* (yo) ______________.
15) *Para* (Gregorio y yo) ______________ los años sesenta representan nuestra juventud.
16) Voten ustedes *por* (yo) ______________.
17) Estas cartas son *para* (ustedes) ______________.
18) La calculadora es *para* (el señor Serrano) ______________.

19) Pilar y Celia están *detrás de* (Teodoro) ______________.
20) La farmacéutica le explica algo *a* (Estela) ______________.
21) El ladrón (ratero/carterista) está *detrás de* (Martín) ______________.

22) Este trabajo no es *para* (yo) ____________.
23) ¡Tengan piedad *de* (nosotros)____________!
24) —¿Quieres ir a bailar *con* (yo) ____________ esta noche?
—Sí, me encanta bailar tango *con* (tú)____________.

Sustituye las palabras en *bastardilla* con el pronombre adecuado (forma sujeto o forma objeto de preposición). Cuando se dan dos posibilidades entre paréntesis, escoge y escribe la forma correcta.

1) *(Adolfo)*____**Él**____ escribe frecuentemente.
2) La calculadora es para *(tú, ti)* ____________.
3) Hablé con *(Margarita)* ____________.
4) Según *(yo, mí)* ____________, *(Ramiro)* ____________ tiene razón.
5) *(El conferencista)* ____________ habló sobre *(los indígenas)* ________.
6) Este regalo es para *(las chicas)* ____________.
7) *(Yo y Teresa)* ____________ vamos de vacaciones juntas.
8) Vive lejos de *(su familia)* ____________ desde el año pasado.
9) Jacinta está hablando *(con , yo)* ____________.
10) Los estudiantes están delante de *(la profesora)* ____________.
11) La pizarra está detrás de *(las dos profesoras)* ____________.
12) Entre *(tú, ti)* ____________y *(yo, mí)* ____________ vamos a terminar este trabajo muy pronto.
13) Me siento entre *(tú y Alberto)* ____________.
14) Andrés y Susana quieren ir al cine *(con, tú)* ____________.
15) El perro sigue detrás de *(su amo)* ____________.
16) —¿Vive Fernando lejos de *(tú y de Pablo)* ____________?
—No, vive bastante cerca de ____________.
17) —¿Quién es menor, *(tú, ti)* ____________ o *(tu hermana)* ____________?
—*(Mi hermana)* ____________ es menor.
18) —¿Quién está al lado de *(Adolfo y Ana)* ____________?
—*(Lucía y yo)* ____________ estamos a su lado.

EL IMPERFECTO – VERBOS REGULARES

	CONJUGACIÓN 1	CONJUGACIÓN 2	CONJUGACIÓN 3
	HABL*AR*	**COM*ER***	**VIV*IR***
yo	habl**aba**	com**ía**	viv**ía**
tú	habl**abas**	com**ías**	viv**ías**
él/ella/usted	habl**aba**	com**ía**	viv**ía**
nosotros/as	habl**ábamos**	com**íamos**	viv**íamos**
vosotros/as	habl**abais**	com**íais**	viv**íais**
ellos/ellas/ustedes	habl**aban**	com**ían**	viv**ían**

¿CÓMO SE FORMA EL IMPERFECTO?

1) Se eliminan las terminaciones de los infinitivos y se añaden las terminaciones apropiadas:
grupo 1 (**-ar**): **-aba, -abas, -aba, -ábamos, -abais, -aban**
grupos 2 (**-er**) y 3 (**-ir**) : **-ía, -ías, -ía, -íamos, -íais, -ían**

¡OJO! La segunda (**-er-**) y la tercera (**-ir-**) conjugaciones tienen las mismas *terminaciones.*

USO DEL IMPERFECTO

El **imperfecto** se utiliza:

1) para hacer descripciones (se usan a menudo estos verbos: *ser, estar, haber, tener*):
Las tortugas que vimos en Ecuador **eran** enormes.
Los indígenas **estaban** vestidos con bonitos ponchos.
Había mucha gente en la calle.
Ayer, cuando me levanté, **hacía** fresco.

2) para expresar un estado mental o emocional (se usan a menudo estos verbos: *querer, pensar, parecer, esperar, saber, creer, conocer*):
Marisa **estaba** preocupada por la condición de su padre.
Rafael **quería** ir a la fiesta con Pilar.
Yo **pensaba** que estabas en casa.
En aquel entonces, todo nos **parecía** fácil.
Esperábamos verte en la fiesta.

3) para expresar una acción **continua** (**progresiva**) en el pasado, sobre todo si es interrumpida por otra acción, o si ocurre simultáneamente con otra acción:
Leía un libro cuando *se apagaron* las luces.
(una acción interrumpe la otra [*se apagaron* interrumpe la acción de **leer**])
Almorzábamos cuando *entró* Francisco.
(una acción interrumpe la otra [*entró* interrumpe la acción de **almorzar**])
Mientras algunos chicos **jugaban**, otros **descansaban.**
(las dos acciones [**jugar** y **descansar**] ocurren simultáneamente)

4) una acción **habitual**, una acción que se **repite** en el pasado:
Antes de casarme no **fumaba.**
Los niños **iban** a la escuela todos los días.
Nos veíamos casi todos los sábados.

5) con **expresiones de tiempo** (la hora del día, la fecha, la estación del año, la edad):
Eran las dos de la tarde. (la hora)
Era el cuatro de enero de 1995. (la fecha)
Era de invierno. (la estación del año)
Soledad **tenía** veintidós años cuando se graduó de la universidad. (la edad)

6) en el lenguaje coloquial, (en lugar del presente de indicativo) para expresar cortesía:
Venía (yo) a pedirle su ayuda, si es que no está ocupado.
—¿Qué **quería** usted?
—Un diccionario francés–español.

EL IMPERFECTO – VERBOS REGULARES

Completa las frases en el **imperfecto** usando el verbo más adecuado.

escribir, estar, fumar, manejar, mirar, enseñar, viajar, querer, cenar

1) Nosotros **estábamos** viendo la televisión cuando ocurrió el apagón.
2) Antes (tú) ________________ muy mal y tuviste varios accidentes.
3) Ahora es profesor de matemáticas, pero antes ________________ física.
4) Pedro ya no fuma pero antes ________________ dos paquetes de cigarrillos por día.
5) Nosotras ________________ ese programa con asiduidad.
6) José y tú ________________ a menudo al extranjero.
7) Ellos ________________ a las nueve y media.
8) Antes yo ________________ muchas cartas a mis padres.
9) —¿________________ (ustedes) ver al doctor Quiroga?
—Sí.

venir, perder, vivir, comprender, volver, tener, seguir, decir, pedir

10) Mis padres ________________ en Ecuador pero ahora están aquí en París.
11) Los chicos no ________________ derecho de salir después de las once.
12) «Me lo ________________ mi abuelito,
me lo ________________ mi papá,
me lo dijeron muchas veces
y lo olvidaba muchas más.» (José Agustín Goytisolo)
13) Antes no ________________ (nosotros) cuando el profesor hablaba pero ahora entendemos casi todo.
14) —¿A qué hora ________________ a casa cuando trabajabas en «El Corte Inglés» (nombre de un almacén en España).
—A las seis de la tarde.
15) Armando siempre ________________ dinero a sus padres.
16) Ese perro ________________ a su amo por todas partes.
17) Federico y Guillermo ________________ mucho dinero cuando apostaban en las carreras de caballos.
18) ________________ (nosotros) a visitar a Ricardo, si es que está mejor.

EL IMPERFECTO – VERBOS IRREGULARES

	SER	IR	VER
yo	era	iba	veía
tú	eras	ibas	veías
él/ella/usted	era	iba	veía
nosotros/as	éramos	íbamos	veíamos
vosotros/as	erais	ibais	veíais
ellos/ellas/ustedes	eran	iban	veían
Solamente **ser**, **ir** y **ver** son *irregulares* en el **imperfecto**.			

EL IMPERFECTO – VERBOS IRREGULARES

Completa las frases con el **imperfecto** del verbo más adecuado.

ser (2), ir (2), ver, bajar, soler, impedir, estar, hacer, vivir, practicar, tomar, hallar

1) Paco **bajaba** por la escalera cuando se cayó.
2) El sol nos ________________ ver muy bien.
3) El señor Torres ________________ llegar un poco atrasado a las reuniones.
4) ________________ las cinco de la madrugada cuando llegó el primer autobús.
5) Luis Buñuel y Salvador Dalí ________________ buenos amigos.
6) Tú ________________ de vacaciones casi todos los inviernos.
7) Ayer llamé a la señora Velasco pero no ________________ en la oficina.
8) Buñuel ________________ en Francia cuando rodó la película El discreto encanto de la burguesía.
9) Los dos gemelos no ________________ bien sin gafas.
10) —¿Qué ________________ (vosotros) cuando os llamé?
—________________ un nuevo baile que aprendimos en el último curso de danza.
11) Nosotros ________________ a esa discoteca a menudo.
12) —¿Cómo ibas al trabajo antes de comprarte el coche?
—________________ el metro.
13) Cuando ibais a visitarlo no lo ________________ nunca en casa.

CONVERSACIÓN – EN UNA ESCUELA DE IDIOMAS

INSTRUCCIONES: Primero, dobla la hoja siguiendo la línea del centro de la página. Después, con otro estudiante improvisa una conversación en una escuela de idiomas. Un estudiante hace el papel del cliente y el otro hace el papel del director de la escuela. Cada estudiante puede mirar solamente las notas que corresponden a su personaje (estudiante 1 – el cliente, estudiante 2 – el director de la escuela). Luego, repite la conversación cambiando el papel con tu compañero (el estudiante 1 hace el papel del director de la escuela y el estudiante 2 hace el papel del cliente).

estudiante 1 quieres aprender alemán en una escuela de idiomas y te presentas en la escuela *Multiidiomas S. A.*	**estudiante 2** eres el director de una escuela de idiomas que se llama *Multiidiomas S. A.*
	1) saluda al cliente
2) responde a los saludos del director y pregúntale cuáles son los idiomas que se enseñan en *Multiidiomas S. A.*	3) improvisa la respuesta (la lista debe incluir el alemán)
4) pregúntale cuándo se ofrecen los cursos de alemán	5) los lunes y los miércoles entre las 7 y las 10 de la noche
6) infórmale al director que no puedes tomar los cursos a esa hora porque trabajas	7) pregúntale qué hace (en qué trabaja)
8) improvisa la respuesta	9) pregúntale si trabaja los sábados
10) respóndele que no trabajas	11) entonces explícale que probablemente habrá también un curso de alemán los sábados si hay suficientes inscripciones
12) dile que estás interesado en tomar el curso los sábados y pregúntale a qué hora se va a dar el curso (los sábados)	13) se da desde las 9 hasta las doce de la mañana
	14) pregúntale por qué está interesado en aprender alemán
15) improvisa la respuesta y pregúntale quién es el/la profesor/a	16) improvisa la respuesta y da otros detalles sobre él/ella (de dónde es/desde cuándo trabaja en la escuela/cuántos años de experiencia tiene, etc.)
17) pregúntale cuánto cuesta la matrícula	18) improvisa la respuesta
19) pregúntale si el precio de la matrícula incluye los libros	20) improvisa la respuesta
21) pregúntale cuántos estudiantes hay en cada clase	22) improvisa la respuesta
23) pregúntale si en la escuela hay estudiantes alemanes que están aprendiendo el español	24) improvisa la respuesta
25) pregúntale si la escuela organiza alguna actividad cultural en alemán	26) películas en alemán todos los viernes
27) dile que quieres matricularte responde a las preguntas del director (improvisa)	28) pregúntale la información necesaria para hacer la matrícula (nombre/apellido/dirección/número de teléfono [residencia, trabajo]) –haz una pregunta a la vez por favor; espera la respuesta antes de hacer la próxima pregunta
29) pregúntale cuándo va a confirmarle si habrá curso de alemán los sábados	30) improvisa la respuesta
31) saludos de despedida	32) saludos de despedida

Bonjour! Guten Tag! Buon giorno! ¡Buenos días!

A, DE, EN | PREPOSICIONES | PARA, CON

Completa cada frase con una **preposición** si es necesario.

a, de, en, para, con

1) No están interesados___**en**___estudiar.
2) Este carro ya no sirve __________ nada.
3) —¿__________ quién estás pensando?
   —__________ ti, mi amor.
4) El señor Casals está traduciendo un libro __________ francés __________ español.
5) Hernán está sentado __________ el sillón.
6) —¿De dónde son tus padres?
   —Son de Viena pero ahora viven __________ Salzburgo .
7) —¿Dónde trabajas?
   —__________ una oficina.
8) —¿__________ qué hora sale el tren?
   —__________ las siete de la tarde.
9) —¿Cuándo se mudan ustedes de aquí?
   —__________ principios de julio.
10) Ramiro está enamorado __________ Mercedes.
11) Es una señorita muy extrovertida. Se lleva bien __________ todos.
12) Trato __________ concentrarme bien cuando estudio pero es difícil porque también trabajo y a menudo estoy cansado.
13) —¿__________ qué hora sales __________ casa?
    —Salgo __________ las siete y cuarto.

Comenta los dibujos e inventa un título (humorístico, si es posible) que ilustre el enfoque de cada uno.

VOCABULARIO – LA CASA

el chalet (chalé), el parasol, los armarios, el horno microondas, la cama, la cortina, el salón, el comedor, la piscina, la cocina, la lavandería, la bañera

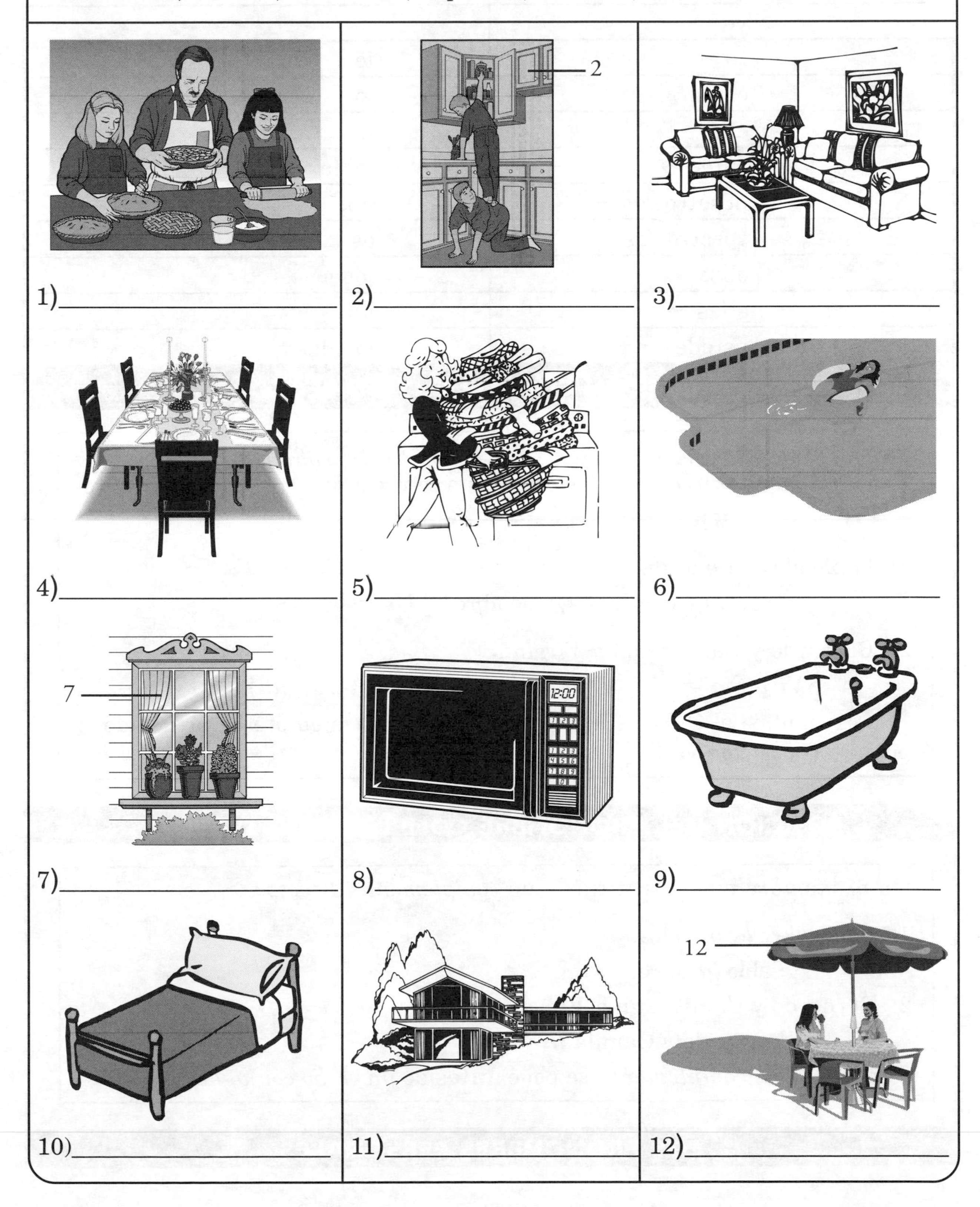

1)________ 2)________ 3)________

4)________ 5)________ 6)________

7)________ 8)________ 9)________

10)________ 11)________ 12)________

LOS PRONOMBRES PERSONALES

COMPLEMENTOS DIRECTOS

SUJETOS	COMPLEMENTOS DIRECTOS
yo ➟	me
tú ➟	te
él ➟	lo
ella ➟	la
usted ➟	lo, la
nosotros/as ➟	nos
vosotros/as ➟	os
ellos ➟	los
ellas ➟	las
ustedes ➟	los, las

¿QUÉ ES UN COMPLEMENTO DIRECTO?

Es una persona o una cosa que *recibe la acción del verbo directamente.*
El *complemento directo (C. D.)* contesta a la pregunta
¿Qué? o la pregunta **¿A quién?** *

1) Pablo abre *la puerta.*
la puerta es el *C. D.* (¿Qué abre? – *La puerta.*)

2) Bernardo y Camila ven *a Virginia.* *
Virginia es el *C. D.* (¿A quién ven? – *A Virginia.*)

*En español, si el C. D. es una persona específica, siempre va precedido por la preposición «**a**».

POSICIÓN DEL PRONOMBRE COMPLEMENTO DIRECTO

Un *pronombre* puede sustituir a un *complemento directo.*

1) Pablo abre *la puerta.*
Pablo ***la*** abre.

2) Bernardo y Camila ven *a Virginia.*
Bernardo y Camila ***la*** ven.

El *pronombre complemento* se pone **antes** de un *verbo conjugado.*

Sustituye las palabras en *bastardilla* con el pronombre de **complemento directo**.

1) Compramos *un sofá* importado de Europa.
   Lo compramos importado de Europa.

2) Tengo *el dinero* aquí.
   ____

3) Buscamos *empleados aplicados*.
   ____

4) Ayer vimos *a Evita*.
   ____

5) —¿Por qué abriste *las ventanas*?
   ____
   —Porque hace mucho calor.

6) Llamé *a Pedro y a ti* pero no me contestasteis.
   ____

7) Ella necesita *gafas* porque no ve muy bien.
   ____

8) Comieron todos *los pasteles*.
   ____

9) —¿Quién preparó *los bocadillos*?
   ____
   —__________ preparé yo.

10) —¿Mandó usted *las postales*?
    ____
    —Sí, __________ mandé.

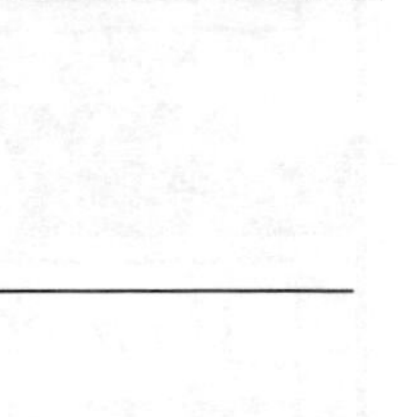

11) —¿Vendieron *su coche*?
    ____
    —No, no __________ vendimos.

12) —¿Arreglaste *la radio*?
    ____
    —Sí, ya funciona perfectamente.

13) Luis espera *a su amiga*.
    ____

LOS PRONOMBRES PERSONALES

COMPLEMENTOS *INDIRECTOS*

SUJETOS	COMPLEMENTOS DIRECTOS	COMPLEMENTOS *INDIRECTOS*
yo →	me	
tú →	te	
él →	lo →	*le*
ella →	la →	*le*
usted →	lo/la →	*le*
nosotros/as →	nos	
vosotros/as →	os	
ellos →	los →	*les*
ellas →	las →	*les*
ustedes →	los/las →	*les*

¡OJO! Los *complementos indirectos* tienen las mismas formas que los *complementos directos* con la excepción de la *tercera persona singular y plural.*

¿QUÉ ES UN COMPLEMENTO *INDIRECTO*?

El *complemento indirecto* se refiere a una persona o un animal. El *complemento indirecto* indica para quién o a quién se hace o se dice una cosa.

1) Elisa da *una manzana a Rosa.*
   Rosa es el *complemento indirecto (C. IND.)*
   ¿Para quién se hace la acción? – Para Rosa.

   una manzana es el *complemento directo (C. D.)*
   ¿Qué da Elisa? – *Una manzana.*

POSICIÓN DEL PRONOMBRE COMPLEMENTO *INDIRECTO*

Un *pronombre* puede sustituir a un *complemento indirecto.*

1) Elisa da una manzana *a Rosa.*
   Elisa **le** da una manzana.
2) Pedro ofrece las flores *a nosotros.*
   Pedro **nos** ofrece las flores.

El *pronombre complemento* se pone **antes** de un *verbo conjugado.*

Reemplaza las palabras entre paréntesis con el **pronombre complemento indirecto** adecuado.

1) Virginia da el libro (a él).
   Virginia le da el libro.

2) Mis padres siempre prestan dinero (a mí).

3) Vendí mi carro (a ellos).

4) La profesora explica las lecciones (a ellas).

5) Ellas ofrecieron unos refrescos (a nosotros).

6) El banco prestó mucho dinero (a ti).

7) Tus padres traen regalos cuando viajan por el extranjero (a ti).

8) Mi hermano siempre pide dinero (a mis padres).

9) Matilde escribe a menudo (a nosotros).

10) Víctor trae flores (a su novia).

11) Nuestros hijos dicen la verdad (a nosotros).

12) Mandé varias tarjetas postales (a vosotras).

13) Mi abuela mandó un paquete de España (a mí).

14) Los tíos compraron un ordenador (a sus sobrinos).

LAS PROFESIONES (2)

un científico, un pescadero, una bibliotecaria, un cartero, un soldador, un soldado, un minero, un periodista, un agrimensor, un leñador, un impresor, un ranchero/ganadero, un agricultor/labrador/campesino (América), una profesora, un bombero, los ingenieros, una modelo, un conserje/portero, un plomero/fontanero (América), una peluquera, una juez

1) los ingenieros	2)	3)	4)	5)	6)	7)
8)	9)	10)	11)	12)	13)	14)
15)	16)	17)	18)	19)	20)	21)

¡VAMOS A CONVERSAR! (págs. 31–56)

1) Contesta a las preguntas con frases completas.
2) Practica con tu compañero/a. Uno lee las preguntas y el otro escucha y responde sin consultar sus hojas (y viceversa).
3) Sin consultar tus hojas, improvisa preguntas y responde a las de tu compañero/a.

1) —¿De qué te quejas?
—
2) —¿Pintas?
—
3) —¿Tienen ustedes flores en casa?
—
4) —¿Quién las riega?
—
5) —¿Te gusta cantar?
—
6) —¿Vives muy cerca del colegio?
—
7) —Y el año pasado, ¿vivías en la misma casa (el mismo apartamento)?
—
8) —¿Quién está sentado a tu lado derecho en la clase de español?
—
9) —¿Te mudas a otra casa este año?
—
10) —¿Eres una persona extrovertida?
—
11) —¿Comes muchos pasteles?
—
12) —¿Prestas dinero a tus amigos?
—
13) —¿Mandas muchas postales cuando estás de vacaciones?
—
14) —¿Tienes un ordenador?
—
15) —¿Cuándo lo compraste?
—
16) —¿Cuánto costó?
—
17) —¿Estudiabas en este colegio el año pasado?
—
18) —¿Hacía buen tiempo cuando saliste de casa?
—
19) —¿Cuántos años tenías cuando empezaste a estudiar en este colegio?
—

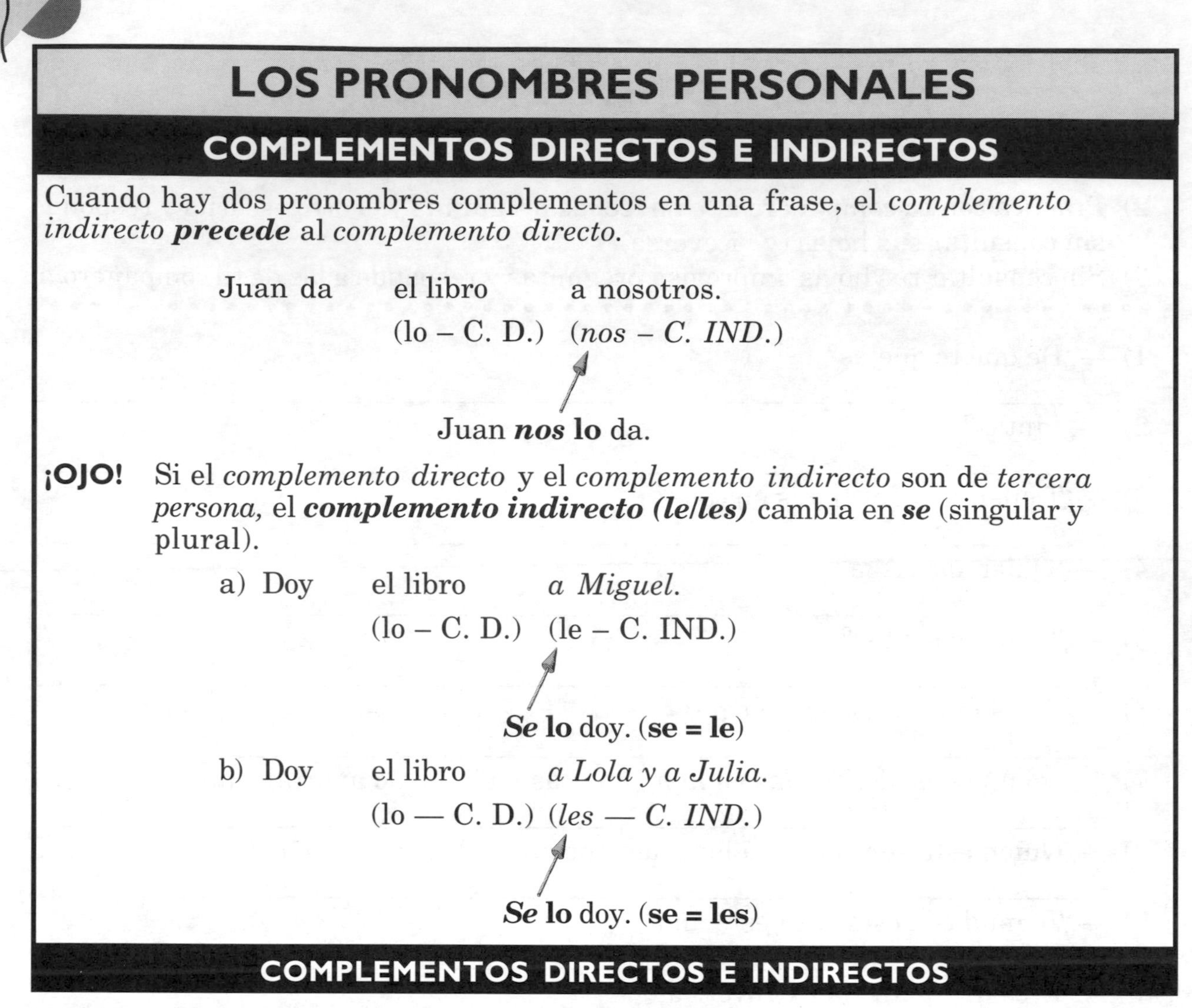

LOS PRONOMBRES PERSONALES

COMPLEMENTOS DIRECTOS E INDIRECTOS

Cuando hay dos pronombres complementos en una frase, el *complemento indirecto* ***precede*** al *complemento directo.*

Juan da el libro a nosotros.
(lo – C. D.) (*nos – C. IND.*)

Juan ***nos*** **lo** da.

¡OJO! Si el *complemento directo* y el *complemento indirecto* son de *tercera persona,* el ***complemento indirecto (le/les)*** cambia en ***se*** (singular y plural).

a) Doy el libro *a Miguel.*
(lo – C. D.) (le – C. IND.)

Se **lo** doy. (**se = le**)

b) Doy el libro *a Lola y a Julia.*
(lo — C. D.) (*les — C. IND.*)

Se **lo** doy. (**se = les**)

COMPLEMENTOS DIRECTOS E INDIRECTOS

Escribe las frases usando un pronombre **complemento directo** y otro de ***complemento indirecto***.

1) Mandé una carta a mi hermana.
   ***Se* la mandé.** *(se = le)*

2) Estoy comprando un diccionario para mi hijo.
   ____

3) La profesora dicta las frases en español (a nosotros).
   ____

4) Javier escribe cartas a sus padres.
   ____

5) Ustedes relatan el cuento (a mí).
   ____

6) Ellos cantan las canciones (a nosotros).
   ____

7) Traigo un balón (a vosotras).
   ____

8) Prestamos nuestros discos a Vicente.
   ____

9) Digo la verdad (a ti).

____

10) Debemos comunicar la información (a ellas).

____

11) La profesora repite la explicación a los estudiantes.

____

12) La peluquera corta el pelo (a nosotras).

____

13) El cartero entregó el telegrama (a mí).

____

14) —¿Pagaste el alquiler a los propietarios?

—____

15) Escribí una carta de amor a mi ex novia pero no me respondió.

____

CADENA DE PALABRAS

Forma una cadena de palabras asociadas.

1)	**cielo**	**sol**	**luna**	**estrellas**
2)	aprender	li__ __os	c__l__ __r__	c__ __ta
3)	sol	c__ __or	ba__ __ __ __e	m__ __
4)	campo	camp__ __ __no	la__ __ar	t__ __r__a
5)	cine	pel__ __ u__ __	ac__ __ __e__	est__ __ __la
6)	pueblo	ci__ __ __d	pr__ __i__ __ia	p__ __ __
7)	puerta	ve__ __ __n__	ce__ __a__	a__ __i__
8)	radio	p__o__r__m__	loc__t__ra	oye__t__s
9)	fútbol	j__g__ __ __res	prof__ __ionales	afi__ __onados
10)	pintora	__ __nt__ra	ex__o__i__ __ón	a__ __ __
11)	iglesia	ca__e__r__l	mezq__ __t__	sin__g__ga
12)	religión	cr__ __ti__ __a	islá__ __ __a	judá__ __ __

PRONOMBRES PERSONALES – REDUNDANCIA DEL PRONOMBRE

—¿Qué *le* parece mi colección de discos?

En esta pregunta **le** puede referirse a:

a) **usted** —¿Qué **le** parece **a usted** mi colección de discos?
b) **él** —¿Qué **le** parece **a él** (Ernesto) mi colección de discos?
c) **ella** —¿Qué **le** parece **a ella** (Eugenia) mi colección de discos?

Para evitar confusión en la tercera persona singular y plural, se usa a la vez el *pronombre indirecto (le, les)* y la *construcción redundante (a él / a ella / a usted / a ellos / a ellas / a ustedes)* que clarifica el significado de la frase. La construcción redundante se usa a veces también con pronombres de la *primera* y de la *segunda personas* (singular y plural) para *dar más énfasis a* la/s persona/s indicada/s.

Ejemplos: *A mí me* gusta aprender cosas nuevas.
A vosotros os encantan los viajes, ¿verdad?

PRONOMBRES PERSONALES – REDUNDANCIA DEL PRONOMBRE

Completa las frases siguientes con el **pronombre** personal (*complemento indirecto*) adecuado que corresponde a la/s palabra/s *en bastardilla*.

1) *A Susana* __**le**__ gustan las flores.
2) _________ compré un regalo *a mi novio.*
3) Los abuelos _________ prepararon una paella *a sus nietos.*
4) Fernando siempre _________ lee el periódico *a sus abuelos.*
5) *A mí* _________ gusta esquiar.
6) *A nosotras* _________ interesa saber lo que pasa en el mundo.
7) —¿Qué _________ parece *a ti* mi itinerario de viaje?
—Es muy interesante.
8) *A nosotros* _________ encanta el clima primaveral de Cuernavaca (México).
9) —¿Qué _________ importa *a ti* eso?
—Bueno, en realidad *a mí* no _________ importa pero soy muy curioso y quiero saberlo todo.
10) *A Arturo y a Paz* no _________ gustan las fiestas ruidosas.
11) —¿_________ gusta *a vosotros* la música clásica?
—*A nosotros* dos _________ gusta mucho, pero *a Mario* no _________ gusta.
12) —¿Qué música _________ gusta *a Mario?*
—*A él* _________ gusta la música andina (de los Andes).

EL PRETÉRITO – VERBOS IRREGULARES

	SER / IR	TENER	ESTAR	PODER	PONER
yo	fui	tuve	estuve	pude	puse
tú	fuiste	tuviste	estuviste	pudiste	pusiste
él/ella/usted	fue	tuvo	estuvo	pudo	puso
nosotros/as	fuimos	tuvimos	estuvimos	pudimos	pusimos
vosotros/as	fuisteis	tuvisteis	estuvisteis	pudisteis	pusisteis
ellos/as/Uds.	fueron	tuvieron	estuvieron	pudieron	pusieron

ANDAR: anduve, anduviste, anduvo, anduvimos, anduvisteis, anduvieron

¡OJO! 1) El pretérito de **ser** y de **ir** es idéntico.
2) Las letras en *bastardilla* de los infinitivos (t*e*ner, est*a*r, and*a*r, p*o*der, p*o*ner) cambian en -**u**- en el pretérito.

Completa cada frase con el **pretérito** de indicativo del verbo más adecuado.

ser, ir, tener, estar, andar, poder, poner(se)

1) —¿Quién llegó primero?
— **Fue** Marcos.
2) —¿Dónde está mi calculadora?
—Rafael la ______________ sobre tu escritorio.
3) —¿______________ (vosotros) problemas en encontrar nuestra casa?
—No, no ______________ ningún problema.
4) Cuando (nosotras) ______________ en Colombia, ______________ a ver una corrida de toros.
5) (Yo) ______________ cuatro kilómetros ayer.
6) Desgraciadamente Ana y Jacinta no ______________ asistir a la reunión.
7) —¿______________ ustedes también a la playa?
—Sí, y nos divertimos mucho en el mar.
8) Anteayer, Andrés ______________ en casa de una amiga.
9) Rosita no ______________ trabajar el lunes porque ______________ enferma.
10) —¿Dónde ______________ (tú) las llaves del coche?
—Las ______________ sobre la mesa.
11) —¿______________ (tú) a Madrid la semana pasada?
—Sí, ______________ que firmar un contrato con una empresa española.
12) El sol ______________ a las seis de la tarde.

VOCABULARIO – EL SALÓN

un sillón, un sofá (canapé), un par de altavoces/altoparlantes (América), la chimenea (el hogar), una lámpara, un confidente, un televisor, un cenicero, el enchufe, un cuadro, una alfombra, un globo terráqueo

1)______ 2)______ 3)______

4)______ 5)______ 6)______

7)______ 8)______ 9)______

10)______ 11)______ 12)______

HACIA, A, DE | **PREPOSICIONES** | POR, CON, EN

Completa cada frase con una **preposición** si es necesario.

hacia, con, de, por, a, en

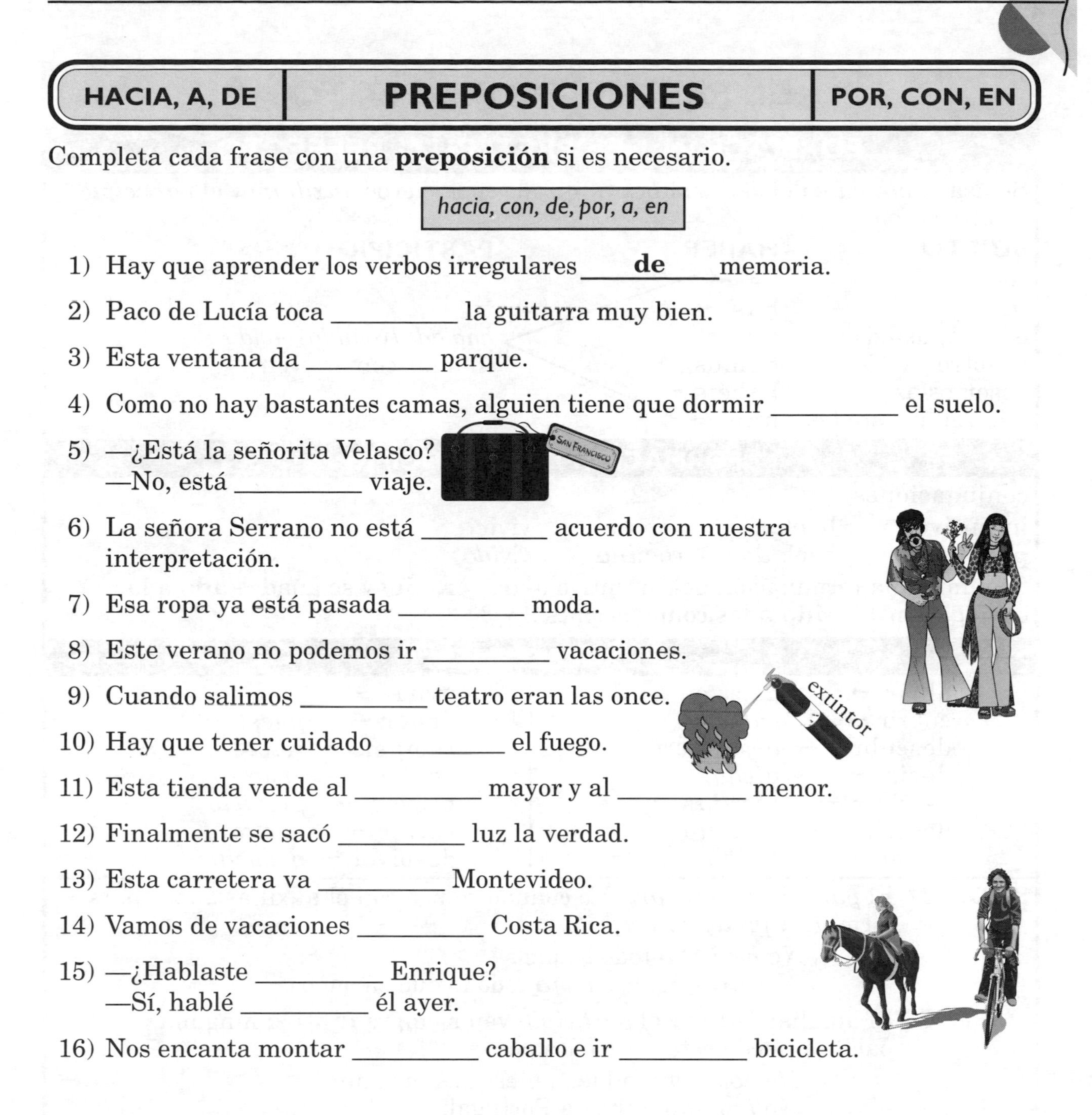

1) Hay que aprender los verbos irregulares ___**de**___ memoria.
2) Paco de Lucía toca __________ la guitarra muy bien.
3) Esta ventana da __________ parque.
4) Como no hay bastantes camas, alguien tiene que dormir __________ el suelo.
5) —¿Está la señorita Velasco?
   —No, está __________ viaje.
6) La señora Serrano no está __________ acuerdo con nuestra interpretación.
7) Esa ropa ya está pasada __________ moda.
8) Este verano no podemos ir __________ vacaciones.
9) Cuando salimos __________ teatro eran las once.
10) Hay que tener cuidado __________ el fuego.
11) Esta tienda vende al __________ mayor y al __________ menor.
12) Finalmente se sacó __________ luz la verdad.
13) Esta carretera va __________ Montevideo.
14) Vamos de vacaciones __________ Costa Rica.
15) —¿Hablaste __________ Enrique?
    —Sí, hablé __________ él ayer.
16) Nos encanta montar __________ caballo e ir __________ bicicleta.

EL PRETÉRITO PERFECTO

FORMACIÓN DEL PRETÉRITO PERFECTO

Se usa el *presente* del verbo *haber* (utilizado como verbo *auxiliar*) y el *participio* de otro verbo.

SUJETO	HABER +	PARTICIPIO
yo	he →	
tú	has →	
él, ella, usted	ha →	*hablado / comido / vivido*
nosotros/as	hemos →	(hablar/comer/vivir)
vosotros/as	habéis →	
ellos/ellas/ustedes	han →	

FORMACIÓN DEL PARTICIPIO

conjugaciones:	1	2	3
infinitivos:	habl**ar**	com**er**	viv**ir**
participios :	habl***ado***	com***ido***	viv***ido***

Se elimina la terminación del infinitivo (**–ar, –er, –ir**) y se añade **–ado** a la conjugación 1 e **–ido** a las conjugaciones 2 y 3.

EXCEPCIONES

abrir →	*abierto*	morir →	*muerto*
cubrir →	*cubierto*	poner →	*puesto*
descubrir →	*descubierto*	romper →	*roto*
decir →	*dicho*	ver →	*visto*
escribir →	*escrito*	prever →	*previsto*
describir →	*descrito*	volver →	*vuelto*
hacer →	*hecho*	devolver →	*devuelto*

¡OJO! 1) El *participio* es *invariable* cuando se usa con el auxiliar *haber* para formar el *pretérito perfecto.*

Yo *he dich**o*** todo lo que sé.
Nosotras *hemos dich**o*** todo lo que sabemos.

2) El auxiliar *haber* y el *participio* van siempre **juntos;** ninguna palabra puede estar entre los dos.

Hemos comido bien en ese restaurante.
No *han ido* nunca a Portugal.

3) Los participios de *leer, oír, traer, caer* y *creer* tienen un acento en la **í**: le**í**do, o**í**do, tra**í**do, ca**í**do, cre**í**do.

USO DEL PRETÉRITO PERFECTO

El *pretérito perfecto* se usa:

1) para expresar *acciones terminadas en un pasado reciente* (cerca del presente) o acciones que de algún modo *están relacionadas con el presente.*

Hoy **hemos trabajado** mucho.
Esta semana **he escrito** tres cartas.
Ha llovido mucho *este mes.*

2) para expresar una acción que ocurrió en *un pasado indeterminado* (no se indica cuándo ocurrió la acción).
   a) —¿**Has visitado** Madrid?
   —No, *todavía* no **he ido** a España.
   b) —¿**Ha empezado** *ya* la lección?
   —No, *todavía* no **ha empezado.**
   c) —¿**Has estado** *alguna vez* en Managua?
   —No, no **he estado** *nunca* en Nicaragua.
   d) —¿**Has leído** la novela Cien años de soledad de G. García Márquez?
   —Sí, la **he leído** *varias veces.*

N.B. El *pretérito perfecto* se usa con ciertas expresiones temporales:
hoy, esta semana, este mes, este año, ya, todavía, aún, alguna vez, jamás, nunca, muchas veces, varias veces, etc.

Usa el **pretérito perfecto** para completar las frases. Sigue el ejemplo.

1) Tratamos de ver una película por semana, pero esta semana no **hemos visto** ninguna.
2) Nos gusta hacer muchas cosas los fines de semana, pero este fin de semana no ________________ casi nada.
3) Cada dos años Pedro y Luisa van a México y a Guatemala, pero este año sólo ________________ a Guatemala.
4) A menudo comen en la cafetería, pero hoy ________________ en un pequeño restaurante chino.
5) De costumbre no bebo café, pero esta mañana ________________ un buen café con leche.
6) Es una persona muy habladora, pero, gracias a Dios, hasta ahora no ________________ (decir) gran cosa.

Completa las frases usando el **pretérito perfecto.**

7) —¿ **Has leído** (tú) el libro que te presté? (leer)
   —No, todavía no lo **he leído** .
8) —¿________________ ustedes La Alhambra? (visitar)
   —No, todavía no la ________________, pero vamos a visitarla mañana.
9) —Niños, ¿________________ la mesa? (poner)
   —Sí, papá, la ________________.
10) Ésta es la segunda vez que Timoteo ________________ la pierna esquiando. (romperse)
11) —Amigos, ¿________________ (vosotros) a Lola? (ver)
   —No, (ella) ________________ ausente toda la semana. (estar)
12) —¿________________ (tú) todas las películas de Luis Buñuel? (ver)
   —No, no las ________________ todas.
13) —¿________________ (vosotras) una carta a vuestros amigos? (escribir)
   —No, no les ________________, pero vamos a escribirles hoy.

¡VAMOS A CONVERSAR! *(págs. 58–65)*

1) Contesta a las preguntas con frases completas.
2) Practica con tu compañero/a. Uno lee las preguntas y el otro escucha y responde sin consultar sus hojas (y viceversa).
3) Sin consultar tus hojas, improvisa preguntas y responde a las de tu compañero.

1) —¿Te gusta la paella?
—______________________________

2) —¿Hay un hogar en tu casa?
—______________________________

3) —¿Qué te gusta comer?
—______________________________

4) —¿Qué te gusta beber?
—______________________________

5)—¿Qué te gusta leer?
—______________________________

6) —¿Te gusta ir de compras?
—______________________________

7) —¿Quién friega los platos en tu familia?
—______________________________

8) —¿Tuviste algún problema la semana pasada?
—______________________________

9) —¿Fuiste al cine el fin de semana?
—______________________________

10) —¿Eres soltero?
—______________________________

11) —¿Está abierta la puerta de la clase en este momento?
—______________________________

12) —¿Has almorzado ya?
—______________________________

13) —¿Has ahorrado mucho dinero este año?
—______________________________

14) —¿Has comprado algo importante o interesante últimamente?
—______________________________

—¿Qué?
—______________________________

15) —¿Has leído algún libro muy interesante últimamente?
—______________________________

16) —¿Has visto alguna película buena?
—______________________________

—¿Qué tipo de película es?
—______________________________

EL PRETÉRITO – VERBOS IRREGULARES

	DECIR	HACER	QUERER(SE)	VENIR
yo	dije	hice	quise	vine
tú	dijiste	hiciste	quisiste	viniste
él/ella/usted	dijo	hizo	quiso	vino
nosotros/as	dijimos	hicimos	quisimos	vinimos
vosotros/as	dijisteis	hicisteis	quisisteis	vinisteis
ellos/as/Uds.	dijeron	hicieron	quisieron	vinieron

¡OJO!
1) Las letras en *bastardilla* de los infinitivos (d*e*cir, h*a*cer, qu*e*rer, v*e*nir) cambian en **-i-**.
2) La letra **-c-** de de**c**ir cambia en **-j-** en el pretérito.
3) La letra -r- de que**r**er cambia en **-s-** en el pretérito.
4) En la tercera persona singular de *hacer* la **-c-** cambia en **-z-**.

EL PRETÉRITO – VERBOS IRREGULARES

Completa cada frase con el **pretérito** del verbo más adecuado.

decir, hacer, querer(se), venir

1) —¿Qué **hicieron** ustedes ayer?
—Fuimos a ver un partido de fútbol.
2) —¿Qué te ________________ tu jefe cuando le pediste un aumento?
—Me miró de una manera muy extraña y no me ____________ nada.
3) (Yo) ________________ intervenir en la discusión pero no pude.
4) «En la su Villa de Ocaña/ ________________ la muerte a llamar/ a su puerta.» (Coplas por la muerte de su padre; Jorge Manrique, siglo XV)
5) Ustedes se callaron durante toda la reunión. No ____________ ni una sola palabra.
6) La primera parte de la novela Don Quijote de la Mancha ________________ al mundo en 1605.
7) Los novios ________________ mucho.
8) —¿Qué ________________ con tu colección de sellos?
—La vendí hace un mes.
9) Jorge ________________ dejar de fumar pero no lo logró.
10) El verano pasado mis padres ________________ aquí.
11) El mes pasado ________________ mucho frío.

Don Quijote luchando contra los molinos de viento (capítulo VIII)

LOS MEDIOS DE TRANSPORTE

Desde la antigüedad, el hombre ha buscado medios de transporte para ayudarle a moverse y a mover sus posesiones. Al principio los medios de transporte eran únicamente utilitarios, pero en la época moderna, el hombre ha inventado nuevos medios de transporte y algunos de ellos son más bien diversiones que medios de transporte.

Aunque existen medios de transporte muy rápidos, todavía perduran otros que han cambiado poco a lo largo de los siglos.
Usa los dibujos para encontrar la respuesta que mejor completa cada frase.

ANIMALES

1) En el norte de Canadá, algunos esquimales todavía usan ___________ (esquimales) para tirar sus trineos.
2) El ______________ se usa como medio de transporte en las regiones desérticas del Medio Oriente. Una particularidad de este animal es que puede sobrevivir en el desierto por meses sin beber agua.
3) Los incas de Perú domesticaron la ___________ hace cuatro mil años. Este animal puede caminar 32 kilómetros diarios transportando hasta 45 kilos en las montañas de Los Andes.
4) Algunos aventureros utilizan el _____________ como medio de transporte en África y Asia. Es el mamífero mayor de los cuadrúpedos.
5) El ______________ es un animal muy popular en todo el mundo. Sirve como medio de transporte y se utilizó en las guerras, sobre todo en la Edad Media. Hoy día se utilizan también en carreras y para tirar carruajes turísticos.

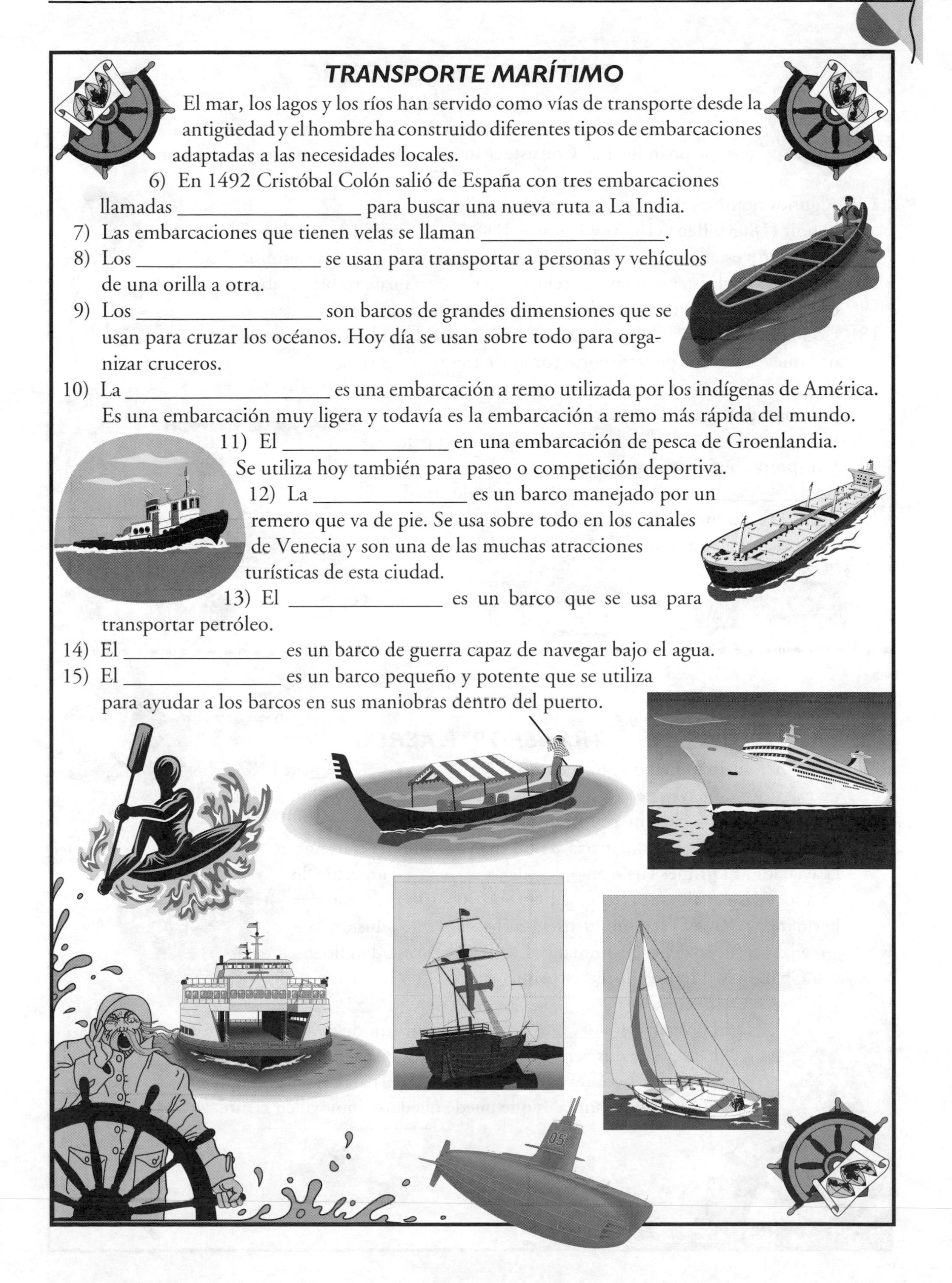

TRANSPORTE MARÍTIMO

El mar, los lagos y los ríos han servido como vías de transporte desde la antigüedad y el hombre ha construido diferentes tipos de embarcaciones adaptadas a las necesidades locales.

6) En 1492 Cristóbal Colón salió de España con tres embarcaciones llamadas ________________ para buscar una nueva ruta a La India.

7) Las embarcaciones que tienen velas se llaman ________________.

8) Los ________________ se usan para transportar a personas y vehículos de una orilla a otra.

9) Los ________________ son barcos de grandes dimensiones que se usan para cruzar los océanos. Hoy día se usan sobre todo para organizar cruceros.

10) La ________________ es una embarcación a remo utilizada por los indígenas de América. Es una embarcación muy ligera y todavía es la embarcación a remo más rápida del mundo.

11) El ________________ en una embarcación de pesca de Groenlandia. Se utiliza hoy también para paseo o competición deportiva.

12) La ________________ es un barco manejado por un remero que va de pie. Se usa sobre todo en los canales de Venecia y son una de las muchas atracciones turísticas de esta ciudad.

13) El ________________ es un barco que se usa para transportar petróleo.

14) El ________________ es un barco de guerra capaz de navegar bajo el agua.

15) El ________________ es un barco pequeño y potente que se utiliza para ayudar a los barcos en sus maniobras dentro del puerto.

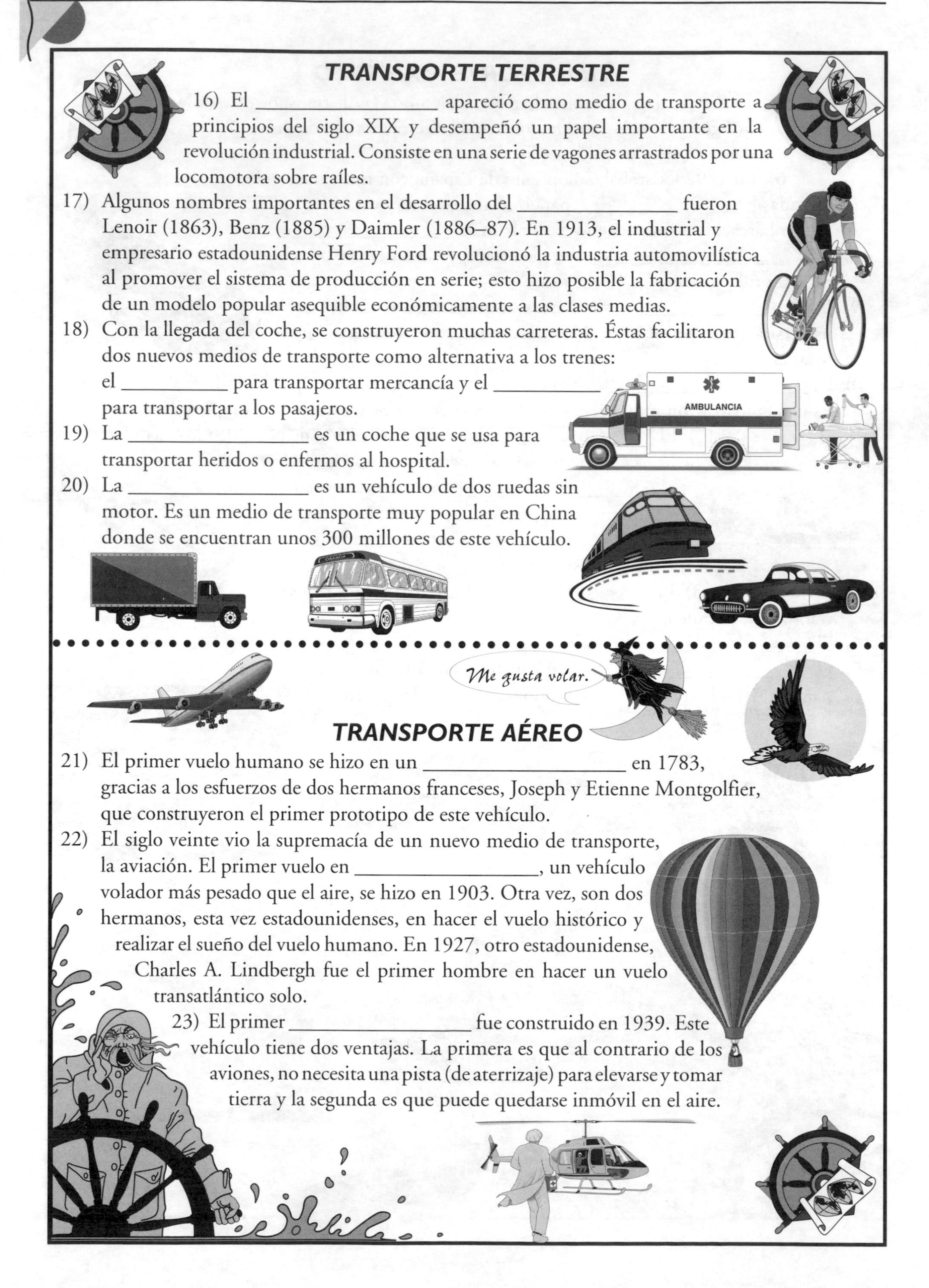

TRANSPORTE TERRESTRE

16) El ________________ apareció como medio de transporte a principios del siglo XIX y desempeñó un papel importante en la revolución industrial. Consiste en una serie de vagones arrastrados por una locomotora sobre raíles.

17) Algunos nombres importantes en el desarrollo del ____________ fueron Lenoir (1863), Benz (1885) y Daimler (1886–87). En 1913, el industrial y empresario estadounidense Henry Ford revolucionó la industria automovilística al promover el sistema de producción en serie; esto hizo posible la fabricación de un modelo popular asequible económicamente a las clases medias.

18) Con la llegada del coche, se construyeron muchas carreteras. Éstas facilitaron dos nuevos medios de transporte como alternativa a los trenes: el ___________ para transportar mercancía y el ___________ para transportar a los pasajeros.

19) La ________________ es un coche que se usa para transportar heridos o enfermos al hospital.

20) La ________________ es un vehículo de dos ruedas sin motor. Es un medio de transporte muy popular en China donde se encuentran unos 300 millones de este vehículo.

TRANSPORTE AÉREO

21) El primer vuelo humano se hizo en un ________________ en 1783, gracias a los esfuerzos de dos hermanos franceses, Joseph y Etienne Montgolfier, que construyeron el primer prototipo de este vehículo.

22) El siglo veinte vio la supremacía de un nuevo medio de transporte, la aviación. El primer vuelo en ________________, un vehículo volador más pesado que el aire, se hizo en 1903. Otra vez, son dos hermanos, esta vez estadounidenses, en hacer el vuelo histórico y realizar el sueño del vuelo humano. En 1927, otro estadounidense, Charles A. Lindbergh fue el primer hombre en hacer un vuelo transatlántico solo.

23) El primer ________________ fue construido en 1939. Este vehículo tiene dos ventajas. La primera es que al contrario de los aviones, no necesita una pista (de aterrizaje) para elevarse y tomar tierra y la segunda es que puede quedarse inmóvil en el aire.

TEST (38–70)

A) Completa con el **pronombre** adecuado (objeto de preposición o sujeto) para reemplazar la/las palabra/s en *bastardilla*.

1) Hablé con (*María y Elena*)______________.
2) Voy al cine con (*tú*)______________.
3) (*Paco y Juan*) ______________ son buenos amigos.
4) Entre (*tú*) ____________y (*yo*) ___________ no hay una gran diferencia de altura.
5) Vamos a ir con (*nuestros abuelos*) ______________.

B) Contesta empleando el **pronombre complemento (directo)** adecuado.

1) —¿Visitaron ustedes la casa de Ana?
—Sí, ____________ visitamos.
2) —¿Quién compró los tomates?
—____________ compré yo.
3) —¿Quién pagó la cuenta?
—Pedro ____________ pagó.

C) Reemplaza las palabras entre paréntesis o subrayadas con el **pronombre complemento indirecto** adecuado.

1) ______________ escribí varias postales (*a mis amigos*).
2) El banco ______________ prestó el dinero (*a mí*).
3) Ellos ______________ vendieron el coche (*a nosotras*).
4) El camarero ______________ trajo una cerveza (*al cliente*) .

D) Escribe las frases usando un **pronombre complemento directo** y otro de **complemento indirecto.**

1) Dedico *esta canción a mi amigo.*
____
2) Las azafatas sirven *el desayuno a los pasajeros.*
____
3) Mis padres leen *los cuentos (a nosotros).*
____
4) Devolví *los libros a la profesora.*
____

E) Contesta con frases completas.

1) —¿Qué os gusta hacer los fines de semana?
—______________________________
2) —¿Te gustan las películas de ciencia ficción?
—______________________________
3) —¿Cuál es tu estación preferida?
—______________________________
4) —¿Nieva en tu país? ¿Cuándo?
—______________________________

F) Completa cada frase con la **profesión** adecuada.

1) El ____________________ trabaja la tierra.
2) Los ____________________ a veces deben ir a la guerra.
3) Los ____________________ deben apagar los incendios.
4) La ____________________ corta y arregla el pelo de los clientes.

G) Completa con el **pretérito** del verbo más adecuado.

ser, ir, tener, poder, ponerse, hacer, querer, venir, estar

1) Mariela no ______________ asistir a la reunión porque tenía invitados en casa.
2) ¿Es posible? ¿Ustedes ______________ a Madrid y no visitaron la Plaza Mayor?
3) (Yo) ____________________ tanto miedo que __________________ a correr.
4) Tan pronto como llegaron, ____________________ a verme.
5) Yo la ____________________ con locura.
6) Miguel Induráin ____________________ el primer ciclista en ganar cinco veces consecutivas (1991–95) el Tour de Francia.
7) (Nosotras) ____________________ en Venezuela el año pasado.
8) La semana pasada ____________________ buen tiempo.

H) Completa con la **preposición** adecuada si es necesario.

1) Podemos ir en tren _______________ Salamanca, y desde allí vamos a tomar el autobús.
2) _______________ un día, uno puede hacer muchas cosas.
3) Está cansada _______________ repetir siempre la misma cosa.
4) Verónica va a pasar _______________ nuestra casa _______________ las nueve de la mañana.
5) Vamos _______________ vacaciones _______________ Los Ángeles.
6) Consuelo quiere ir al cine _______________ Laura.

I) Completa con el **imperfecto** del verbo más adecuado.

ver, ir, acompañar, asistir, cumplir, limpiar, ensuciar, tratar de, conocer, medir, impedir, ser

1) La policía _________________ el acceso a las personas sin carnet de identidad.
2) (Yo) ______________ la casa y los niños la ________________.
3) El año pasado, Miguelito _________________ un metro.
4) Antes nosotros _________________ a todas las reuniones de nuestro partido.
5) Mi hermano mayor me _________________ a la escuela.
6) Antes, Mauricio _________________ con sus compromisos.
7) Tú _________________ llegar a tiempo, pero a veces llegabas tarde.
8) —¿_________________ usted al señor Hernández?
   —No, no lo _________________.
9) Julia y Tomás _________________ a ese bar a menudo.
10) _________________ las once de la noche cuando ocurrió el accidente.
11) Antes David y Vicente se _________________ a menudo.

J) Completa las frases usando el **pretérito perfecto.**

1) Ese autor ______________________ (escribir) varios libros muy interesantes.
2) Todavía nosotros no ______________________ (mudarse) de casa.
3) —¿______________________ (escribir) ustedes a sus abuelos?
—Vamos a hacerlo ahora mismo.

K) Escribe la **letra** de la sección **B** que corresponde mejor a cada número de la sección **A**.

A		B
1) buscar	_____	A) a alguien
2) Sin gafas	_____	B) el alquiler del mes pasado.
3) un bocadillo	_____	C) vino blanco de fina calidad
4) prestar una cosa	_____	D) los oyentes
5) la paella	_____	E) no veo bien.
6) Aún tengo que pagar	_____	F) la verdad
7) jerez	_____	G) coronados por el éxito.
8) la locutora	_____	H) un empleo
9) fumar	_____	I) a la moda
10) sacar a luz	_____	J) de jamón
11) Mis esfuerzos fueron	_____	K) un cenicero
12) vestirse	_____	L) un plato de arroz, con carne, mariscos, etc.

L) Identifica cada dibujo. Escribe el **nombre** y el **artículo**.

1)______________ 2)______________ 3)______________

4)______________ 5)______________ 6)______________

7)______________ 8)______________ 9)______________

LOS NÚMEROS CARDINALES 100–1.000.000.000

100	cien, ciento
101	ciento uno
111	ciento once
121	ciento veintiuno
131	ciento treinta y uno
199	ciento noventa y nueve
200	doscientos/as
201	doscientos uno/una
299	doscientos noventa y nueve
300	trescientos/as
400	cuatrocientos/as
500	quinientos/as
600	seiscientos/as
700	setecientos/as
800	ochocientos/as
900	novecientos/as
1.000	mil
1.001	mil uno/una
2.000	dos mil
10.000	diez mil
100.000	cien mil
1.000.000	un millón (de dólares)
2.000.000	dos millones (de dólares)
1.000.000.000	mil millones (de pesos)

¡OJO! 1) Con los números *1 (21, 31, 41, etc.), 200, 300, 400, 500, 600, 700, 800* y *900* hay concordancia.

Ejemplos:

veinti**ún** hombres	veinti**una** mujeres
treinta y **un** hombres	treinta y **una** mujeres
ciento **un** hombres	ciento **una** mujeres
doscient**os** pes**os**	doscient**as** peset**as**
quinient**os** chic**os**	quinient**as** chic**as**
setecient**os** alumn**os**	setecient**as** alumn**as**

2) La palabra **mil** es siempre *singular* cuando va seguida *directamente* por un *nombre.*

Ejemplo: Tengo dos **mil** *dólares/pesos.*

Pero Luis gasta **miles** de *dólares.*

3) Cuando la palabra **millón (o millones)** es seguida por un *nombre* se usa la preposición «**de**»:

1.000.000 → un **millón de** *dólares*
4.000.000 → cuatro **millones de** *pesetas*

NOTA ESTOS NÚMEROS

2 dos	12 doce	20 veinte	200 doscientos	2.000 dos mil
3 tres	13 trece	30 treinta	300 trescientos	3.000 tres mil
4 cuatro	14 catorce	40 cuarenta	400 cuatrocientos	4.000 cuatro mil
5 cinco	15 quince	50 cincuenta	500 quinientos	5.000 cinco mil
6 seis	16 dieciséis	60 sesenta	600 seiscientos	6.000 seis mil
7 siete	17 diecisiete	70 setenta	700 setecientos	7.000 siete mil
8 ocho	18 dieciocho	80 ochenta	800 ochocientos	8.000 ocho mil
9 nueve	19 diecinueve	90 noventa	900 novecientos	9.000 nueve mil

Repite estos números:

109	ciento nueve
212	doscientos doce
325	trescientos veinticinco
431	cuatrocientos treinta y uno
543	quinientos cuarenta y tres
657	seiscientos cincuenta y siete
764	setecientos sesenta y cuatro
876	ochocientos setenta y seis
1.001	mil uno/una
1.834	mil ochocientos treinta y cuatro
1.997	mil novecientos noventa y siete
2.000	dos mil
2.005	dos mil cinco
2.120	dos mil ciento veinte
4.050	cuatro mil cincuenta
5.258	cinco mil doscientos cincuenta y ocho

VERIFICA TUS CONOCIMIENTOS HISTÓRICOS

Encuentra la fecha que corresponde a cada acontecimiento histórico y escríbela.

711, 1215, 1325, 1492, 1492	
1215	La Carta Magna de Inglaterra. ***mil doscientos quince***
	Los árabes invaden y conquistan España.
	Cristóbal Colón desembarca en América.
	Los aztecas fundan Tenochtitlán (hoy día Ciudad de México).
	El último reino árabe en España cae en manos del ejército cristiano de los Reyes Católicos (Isabel y Fernando).
1521, 1533, 1588, 1776, 1789	
	Los españoles encabezados por Hernán Cortés conquistan el Imperio Azteca (México).
	La Armada Invencible (flota de 127 navíos españoles) es destruida en una tempestad.
	Estalla la Revolución Francesa.
	El conquistador español Francisco Pizarro conquista el Imperio Incaico (Perú).
	Proclamación de Independencia por los Estados Unidos de América.
1799, 1810, 1861, 1910, 1914	
	En México empieza la Guerra de Independencia de las colonias españolas en América.
	En los Estados Unidos estalla la guerra de Secesión entre la federación de los Estados del Norte y la confederación de los Estados del Sur.
	Estalla la Primera Guerra Mundial.
	En un golpe de Estado, Napoleón I (Bonaparte) toma el poder en Francia.
	Empieza la Revolución Mexicana, un conflicto que dura diez años. Dos líderes populares de la Revolución son Pancho Villa y Emiliano Zapata.

el calendario azteca

1776 1993

E. Zapata

1917, 1929, 1936, 1937, 1969	
	El crac de la bolsa de Nueva York marca el principio de una década de crisis económica mundial (la Gran Depresión).
	Los astronautas americanos Neil Armstrong y Edwin Aldrin son los primeros hombres que pisan la Luna.
	Empieza la Revolución Bolchevique en Rusia.
	Empieza la Guerra Civil Española.
	Pablo Picasso pinta el cuadro «Guernica» para protestar contra el bombardeo aéreo del pueblo vasco del mismo nombre.

PRÁCTICA ORAL

Los estudiantes formulan preguntas usando el **pretérito** de indicativo y responden a las mismas.

Ejemplo: est. 1 —¿Quién *desembarcó* en América?
est. 2 —Cristóbal Colón *desembarcó* en América.
est. 1 —¿En qué año *desembarcó* Cristóbal Colón en América?
est. 2 —*Desembarcó* en 1492…

JUEGO PEDAGÓGICO – EL TIEMPO (I)

Instrucciones: Pon las letras en orden para formar palabras y luego emplea las letras que están en los círculos para completar la expresión.

EL PRETÉRITO – VERBOS IRREGULARES

	LEER	OÍR	CAER(SE)	DESTRUIR	INCLUIR	HUIR
yo	leí	oí	caí	destruí	incluí	huí
tú	leíste	oíste	caíste	destruiste	incluiste	huiste
él/ella/usted	leyó	oyó	cayó	destruyó	incluyó	huyó
nosotros/as	leímos	oímos	caímos	destruimos	incluimos	huimos
vosotros/as	leísteis	oísteis	caísteis	destruisteis	incluisteis	huisteis
ellos/as/Uds.	leyeron	oyeron	cayeron	destruyeron	incluyeron	huyeron

CONSTRUIR construí, construiste, construyó, construimos, construisteis, construyeron

¡OJO! En la tercera persona singular y plural de estos verbos la **-i-** cambia en **-y-**.

Completa cada frase con el **pretérito** del indicativo del verbo más adecuado.

leer, caer(se), oír (2), incluir, huir, destruir, construir

1) (Yo) ____**Oí**____ decir que Linda y Felipe se van a casar pronto.
2) Las bombas ________________ muchas casas y edificios.
3) Dos empresas ________________ el nuevo Estadio Olímpico.
4) Dormiste tan bien que no ________________ nada.
5) —¿________________ (vosotros) el informe?
   —Sí, lo ________________ muy atentamente así que estamos muy bien preparados para la reunión.
6) Antonio ________________ enfermo precisamente antes de sus vacaciones.
7) Nosotros ________________ a Ángela y a Rodrigo en nuestra lista de invitados para la fiesta.
8) Isabel ________________ un libro sobre el cante flamenco.
9) El huracán ________________ los tejados de muchas casas.
10) —¿________________ usted un cheque en su carta para pagar la cuenta del gas?
    —Sí, ________________ un cheque de noventa y seis dólares.
11) Durante la noche, tres prisioneros ________________ de la cárcel.
12) La compañía Sheraton ________________ un hotel en la playa de Cancún.

USO DE LOS ADVERBIOS (DE MODO)

Los **adverbios** se usan para modificar (complementar) un *verbo*, un *adjetivo* u otro *adverbio:*

Ejemplos: Las estudiantes *escuchan* **atentamente**. (complementa un *verbo*)
Es un curso **muy** *interesante*. (complementa un *adjetivo*)
Lo hiciste **extremadamente** *bien*. (complementa un *adverbio*)

Al contrario de los adjetivos, los **adverbios** son *invariables*.

La mayor parte de los *adjetivos* pueden transformarse en *adverbios* añadiendo **-mente** a la forma ***femenina singular*** del *adjetivo*.

ADJETIVOS		ADVERBIOS
masculino	femenino	
lent**o**	lent**a**	lent**amente**
rápid**o**	rápid**a**	rápid**amente**
difícil	difícil (invariable)	difícil**mente**
inteligente	inteligente (invariable)	inteligente**mente**

¡OJO! En una enumeración de dos o más adverbios de modo, sólo el *último* adverbio termina en (**-mente**).

Ejemplo → Lucía escribe a sus amigos content**a** y cariños**amente**.

Completa cada frase con la forma correcta del **adverbio**.

1) El profesor explica **lentamente**. (lento)
2) El señor Quintana cocina ________________. (maravilloso)
3) La señorita Núñez habla dos lenguas ________________. (perfecto)
4) Vosotros corréis ________________. (rápido)
5) ________________ no me gusta ver la televisión. (General)
6) Nosotros pronunciamos las nuevas palabras ________________. (claro)
7) —¿Vas a seguir otro curso de español el próximo semestre?
—________________ que sí. (Probable)
8) Gabriel está ________________ loco. (completo)
9) Los soldados tienen que obedecer ________________ a su general. (fiel)
10) Los empleados trabajan ________________ porque mañana empiezan las vacaciones estivales. (alegre)
11) Adriana contesta casi siempre ________________ a las preguntas de la profesora. (correcto)
12) Los dos candidatos se saludaron ________________ y ________________ antes del debate. (caluroso, cortés)
13) ________________ va a poder salir de ese apuro. (difícil)
14) Es una persona que habla ________________ pero ________________. (franco, elegante)
15) Estoy sentado ________________ aquí en este sillón. (cómodo)

EL PRETÉRITO – VERBOS IRREGULARES

	TRAER	TRADUCIR	DORMIR	MORIR	SABER	DAR
yo	traje	traduje	dormí	morí	supe	di
tú	trajiste	tradujiste	dormiste	moriste	supiste	diste
él/ella/usted	trajo	tradujo	durmió	murió	supo	dio
nosotros/as	trajimos	tradujimos	dormimos	morimos	supimos	dimos
vosotros/as	trajisteis	tradujisteis	dormisteis	moristeis	supisteis	disteis
ellos/as/Uds.	trajeron	tradujeron	durmieron	murieron	supieron	dieron

¡OJO!
1) *traer* y *traducir* tienen una **-j-** en la raíz en el pretérito.
2) la **-o-** de d**o**rmir y m**o**rir(se) cambia en **-u-** en la tercera persona singular y plural.
3) El verbo *dar* tiene las mismas terminaciones que los verbos *regulares* de la *segunda* o *tercera* conjugaciones.

Completa cada frase con el **pretérito de indicativo** del verbo más adecuado.

traer, traducir, dormir, morir(se), saber, dar

1) —Mamá, ¿qué me **trajiste** de Europa?
   —Te ________________ una novedad.
2) No puedes imaginarte la alegría que me ________________ ver a mis viejos amigos.
3) Un traductor ________________ los poemas de Antonio Machado al inglés.
4) —¿Cuándo ________________ (vosotros) la noticia?
   —La ________________ ayer.
5) Dolores llegó de Argentina y me ________________ un paquete de parte de mis padres.
6) —¿________________ usted muy bien anoche?
   —Sí, ________________ como un niño.
7) La universidad le ________________ un título honorario a Rosa.
8) A causa del ruido (nosotras) no ________________ bien anoche.
9) Salvador Dalí ________________ en 1989.
10) Nosotras le ________________ un buen regalo a Pablo.
11) El atleta no ________________ reaccionar ante la presión de la opinión pública.
12) Miguel de Cervantes y William Shakespeare, dos grandes escritores de la literatura mundial, ________________ en 1616.
13) (Yo) le ________________ el disco a Mario.

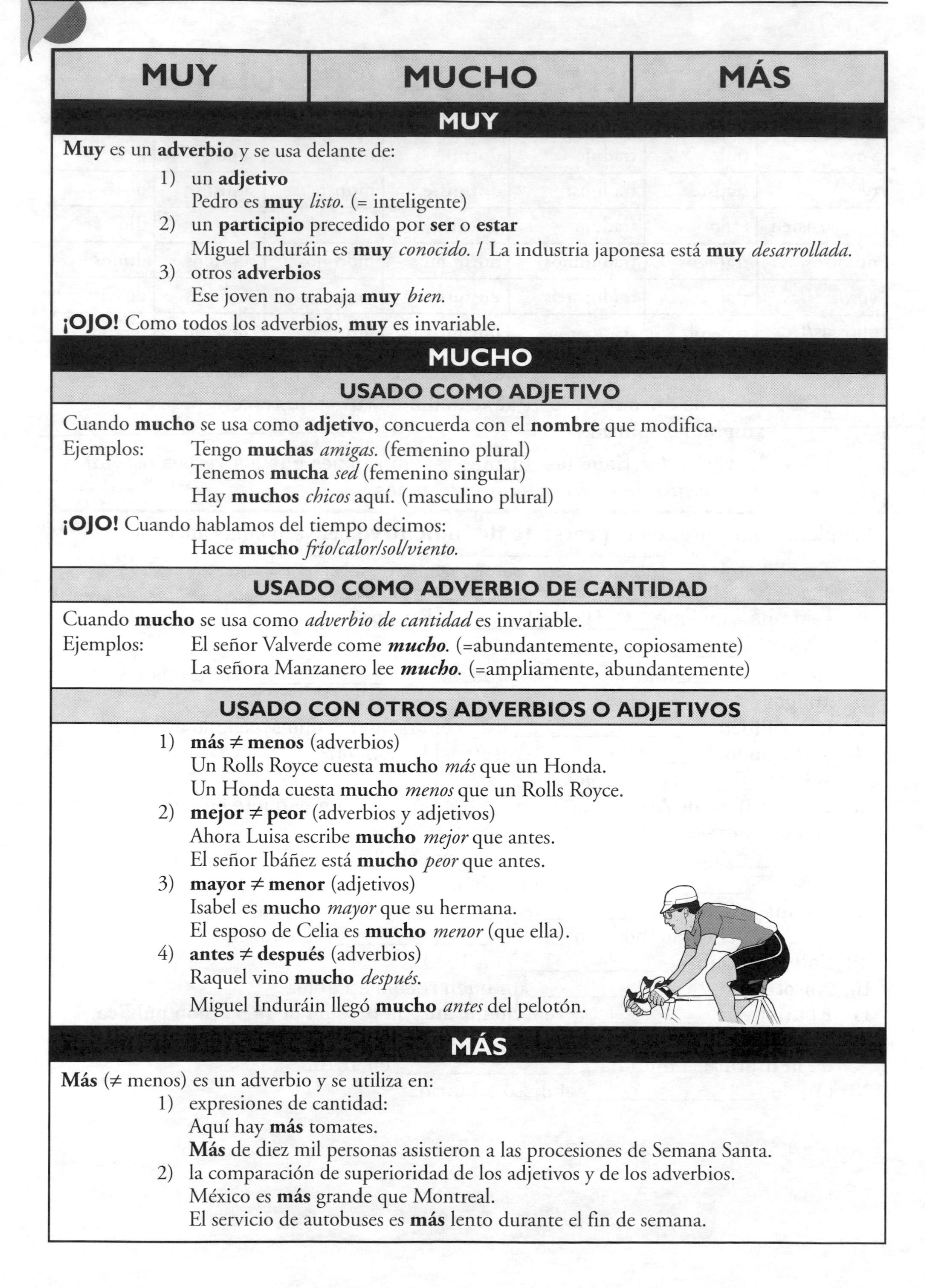

MUY	MUCHO	MÁS

MUY

Muy es un **adverbio** y se usa delante de:

1) un **adjetivo**
   Pedro es **muy** *listo.* (= inteligente)
2) un **participio** precedido por **ser** o **estar**
   Miguel Induráin es **muy** *conocido.* / La industria japonesa está **muy** *desarrollada.*
3) otros **adverbios**
   Ese joven no trabaja **muy** *bien.*

¡OJO! Como todos los adverbios, **muy** es invariable.

MUCHO

USADO COMO ADJETIVO

Cuando **mucho** se usa como **adjetivo**, concuerda con el **nombre** que modifica.

Ejemplos: Tengo **muchas** *amigas.* (femenino plural)
Tenemos **mucha** *sed* (femenino singular)
Hay **muchos** *chicos* aquí. (masculino plural)

¡OJO! Cuando hablamos del tiempo decimos:
Hace **mucho** *frío/calor/sol/viento.*

USADO COMO ADVERBIO DE CANTIDAD

Cuando **mucho** se usa como *adverbio de cantidad* es invariable.

Ejemplos: El señor Valverde come ***mucho.*** (=abundantemente, copiosamente)
La señora Manzanero lee ***mucho.*** (=ampliamente, abundantemente)

USADO CON OTROS ADVERBIOS O ADJETIVOS

1) **más ≠ menos** (adverbios)
   Un Rolls Royce cuesta **mucho** *más* que un Honda.
   Un Honda cuesta **mucho** *menos* que un Rolls Royce.
2) **mejor ≠ peor** (adverbios y adjetivos)
   Ahora Luisa escribe **mucho** *mejor* que antes.
   El señor Ibáñez está **mucho** *peor* que antes.
3) **mayor ≠ menor** (adjetivos)
   Isabel es **mucho** *mayor* que su hermana.
   El esposo de Celia es **mucho** *menor* (que ella).
4) **antes ≠ después** (adverbios)
   Raquel vino **mucho** *después.*
   Miguel Induráin llegó **mucho** *antes* del pelotón.

MÁS

Más (≠ menos) es un adverbio y se utiliza en:

1) expresiones de cantidad:
   Aquí hay **más** tomates.
   Más de diez mil personas asistieron a las procesiones de Semana Santa.
2) la comparación de superioridad de los adjetivos y de los adverbios.
   México es **más** grande que Montreal.
   El servicio de autobuses es **más** lento durante el fin de semana.

Completa las frases con **muy, mucho** o **más**, según el contexto.

1) Carmencita es ___**muy**___ alta.
2) El señor Rockefeller tiene __________ dinero.
3) Los perfumes son __________ caros.
4) —¿Qué hora es?
   —Es __________ tarde.
5) —¿Tienes __________ amigos que hablan español?
   —No, sólo tengo dos.
6) Este problema es __________ complicado.
7) Hace __________ calor en la selva.
8) Joselito es __________ rápido que su hermano.
9) En las montañas el clima es __________ mejor que en la costa.
10) Esta película es __________ menos interesante que la otra.
11) Gastón escucha __________ atentamente al profesor.
12) Jesús y Pablo tienen __________ sed.
13) El enfermo está __________ peor hoy.
14) En invierno hace __________ frío.
15) Los estudiantes están __________ bien preparados para el examen.
16) Álvaro y Yolanda trabajan __________.
17) Hernán estudió __________ pero todavía no sabe __________ bien la lección.
18) —¿Cuánto cuesta?
    —__________ menos de lo que piensas.
19) —¿Cómo estás?
    —__________ mejor, gracias.
20) La señora Rosales llegó __________ después.
21) El autobús llegó __________ antes de lo previsto.
22) Ahora que sé bastante español me gusta __________ más visitar los países latinoamericanos.

HASTA, A, DE | PREPOSICIONES | EXCEPTO, EN

Completa cada frase con una **preposición** *si es necesario.*

a, con, de, hasta, durante, en, en lugar de, excepto, según, dentro de, a pesar de

1) —¿Dónde está el gato?
   —Está **en** el salón.
2) Miguelito sabe contar de uno ______________ treinta.
3) ______________ estudiar, Mario ve la televisión.
4) Nadie habló ______________ el examen.
5) ______________ Antonio, todos los otros bebieron pisco.
6) ______________ el Ministro de la Hacienda, la economía va muy bien.
7) —Un café ______________ leche, por favor.
   —Sí, señor.
8) —¿Dónde estás?
   —Estoy ______________ casa.
9) —¿Adónde vas?
   —Voy ______________ casa.
10) Vamos a salir ______________ diez minutos.
11) ______________ nuestros días no es fácil encontrar un trabajo.
12) Esta mesa es ______________ pino.
13) Diana lleva una pulsera ______________ perlas.
14) Vamos a salir ______________ mal tiempo.
15) Este autobús va ______________ Caracas solamente. Allí usted tiene que cambiar ______________ autobús y tomar otro que va ______________ Valencia.

EL GÉNERO

Escribe el **femenino** de los nombres siguientes.

masculino	femenino	masculino	femenino
1) el padre	**la madre**	10) el rey	______________
2) el hijo	______________	11) el cliente	______________
3) el hermano	______________	12) el duque	______________
4) el abuelo	______________	13) el príncipe	______________
5) el hombre	______________	14) el actor	______________
6) el marido	______________	15) el doctor	______________
7) el señor	______________	16) el alemán	______________
8) el canadiense	______________	17) el guatemalteco	______________
9) el artista	______________	18) el venezolano	______________

LOS ASTROS Y EL TIEMPO

la tierra, el Sistema Solar, la luna, el sol, un planeta, una estrella, la lluvia, las nubes, la nieve, los copos de nieve, el calor, el frío

1)______	2)______	3)______
4)______	5)______	6)______
7)______	8)______	9)______
10)______	11)______	12)______

EL PRETÉRITO – VERBOS IRREGULARES

E → I

	PEDIR	SERVIR	PREFERIR	SENTIR
yo	pedí	serví	preferí	sentí
tú	pediste	serviste	preferiste	sentiste
él/ella/usted	p**i**dió	s**i**rvió	pref**i**rió	s**i**ntió
nosotros/as	pedimos	servimos	preferimos	sentimos
vosotros/as	pedisteis	servisteis	preferisteis	sentisteis
ellos/as/Uds.	p**i**dieron	s**i**rvieron	pref**i**rieron	s**i**ntieron

Otros verbos que se conjugan de la misma manera son:
m**e**ntir, div**e**rtir(se), s**e**guir, rep**e**tir, r**e**ír(se), v**e**stir(se), desp**e**dir(se)

¡OJO! En la *tercera persona singular y plural* la -**e**- cambia en -**i**-.

E → I

Completa cada verbo de la columna **A** con la expresión adecuada de la columna **B**.

A		B
1) pedir	______________	mucho
2) sentirse	______________	la cena
3) preferir	______________	de negro/a la moda
4) divertirse	______________	la última canción
5) servir	______________	muy bien/mal
6) mentir	______________	un favor/diez dólares
7) seguir	______________	en el mismo camino que tú
8) repetir	______________	a carcajadas (= mucho)
9) reír	______________	el campo a la ciudad
10) vestirse	______________	su familia/sus amigos
11) despedir a	______________	para engañar
12) despedirse de	______________	un empleado perezoso

Completa cada frase con el **pretérito** del verbo más adecuado.

pedir, servir, mentir, despedir a, despedirse de, seguir

1) El camarero nos **sirvió** los entremeses.
2) La empresa ______________ dos empleados porque llegaban siempre tarde.
3) (Yo) ______________ ese camino por dos kilómetros.
4) Ayer fuimos al aeropuerto y ______________ nuestros amigos.
5) Pedro ______________ cuando te dijo eso; no te dijo la verdad.
6) Cecilia ______________ de intérprete para los turistas.

7) Luis ________________ otra taza de café al camarero.
8) Sancho Panza ________________ a Don Quijote en sus aventuras por el mundo.
9) Al irse, Adriana y Mariana ________________ todos los compañeros.
10) —¿Qué le ________________ (tú) a Ramiro?
—Le ________________ el diccionario porque quería buscar la traducción de una palabra.
11) Ronald Reagan ________________ como Presidente de los Estados Unidos de América por ocho años.
12) El año pasado los fabricantes de coches ________________ unos cuarenta empleados y los sustituyeron por robots.
13) —Tienes que admitirlo, ________________ . Me engañaste.
—No, no ________________. Lo que pasa es que no te dije toda la verdad.
—Eres un asqueroso.

Pedir la Luna / pedir peras al olmo → pedir cosas imposibles de conseguir (obtener)

CADENA DE PALABRAS

Forma una cadena de palabras asociadas.

1) vaca →	**leche →**	**helado →**	**queso**
2) invierno	bo__ __s	ab__ __go	g__a__t__s
3) uvas	v__ __ __	bo__ __ __l__	c__p__
4) campaña	mi__ __ __ar	po__í__ __c__	ele__ __or __l
5) deporte	ga__a__	p__ __ __e__	empa__ __r
6) rey	ca__ __i__ __o	n__ __ __ez__	po__ __r
7) flauta	in__t__u__ __n__o	vi__ __ __o	c__ __r__a
8) árbol	fr__ __a	pa__ __ya	j__ __ __
9) monolingüe	b__ __ __ __g__ __	t__ __l__ __gü__	p__lí__ __o__a
10) lluvia	imp__ __ __e__bl__	p__ __ __g__ __s	p__ __a__ol
11) petróleo	e__ __ __g__ __	e__ __ct__ __c__	s__ __ __ __

¡VAMOS A CONVERSAR! (págs. 67–85)

1) Contesta a las preguntas con frases completas.
2) Practica con tu compañero/a. Uno lee las preguntas y el otro escucha y responde sin consultar sus hojas (y viceversa).
3) Sin consultar tus hojas, improvisa preguntas y responde a las de tu compañero

1) —¿Qué hiciste el fin de semana pasado?
—
2) —¿Leíste el periódico el sábado pasado?
—
—¿Qué te gusta leer?
—
3) —¿Cuántos idiomas hablas?
—
—¿Los dominas?
—
4) —¿Tienes mucho dinero?
—
5) —¿Hace mucho calor en tu país en verano?
—
6) —¿Tienes mucha hambre?
—
7) —¿Cuántas horas dormiste anoche?
—
8) —¿Apuestas en las carreras de caballos?
—
9) —¿Cómo se llaman tus abuelos paternos?
—
10) —¿Quién es tu actor preferido?
—
—¿Y tu actriz preferida?
—
11) —¿Qué hay encima de tu escritorio?
—
12) —¿Te divertiste mucho el fin de semana pasado?
—
—¿Qué hiciste?
—
13) —¿Tienes algún amigo un poco tonto?
—
—¿Te gusta ese amigo?
—
14) —¿Eres perezoso?
—

EL PRETÉRITO – VERBOS IRREGULARES

CAMBIOS ORTOGRÁFICOS – VERBOS QUE TERMINAN EN *–GAR*

	PAGAR	LLEGAR	ENTREGAR	JUGAR
yo	pagué	llegué	entregué	jugué
tú	pagaste	llegaste	entregaste	jugaste
él/ella/usted	pagó	llegó	entregó	jugó
nosotros/as	pagamos	llegamos	entregamos	jugamos
vosotros/as	pagasteis	llegasteis	entregasteis	jugasteis
ellos/as/Uds.	pagaron	llegaron	entregaron	jugaron

JUZGAR: juzg**u**é, juzgaste, juzgó, juzgamos, juzgasteis, juzgaron

¡OJO! Por razones de *fonética*, la vocal -**u**- se añade en la *primera persona singular* de estos verbos.

CAMBIOS ORTOGRÁFICOS – VERBOS QUE TERMINAN EN *–GAR*

Completa cada verbo de la columna **A** con la expresión adecuada de la columna **B.**

A		B
1) pagar	**sus deudas**	a tiempo al concierto
2) llegar	______________	sus deudas
3) entregar	______________	al ajedrez/a las damas
4) entregarse	______________	una carta/la mercancía
5) jugar	______________	al reo (acusado)
6) jugarse	______________	la vida (= arriesgar)
7) juzgar	______________	al enemigo (= rendirse)
		/a los estudios (= dedicarse)

Completa cada frase con el **pretérito** del verbo más adecuado.

pagar, llegar, entregar, jugar(se), juzgar

1) —¿A qué hora **llegaste** al colegio?
   —______________ a las ocho y veinte.
2) —¿Cuánto ______________ por tu casa?
   —______________ solamente ochenta mil dólares. Fue una ganga.
3) (Yo) ______________ oportuno hacer algo para luchar contra la guerra.
4) Nosotros ______________ un partido de fútbol.
5) —¿A quién ______________ (tú) el telegrama?
   —Lo ______________ al director.
6) El juez Hernández ______________ en ese proceso de homicidio.
7) El bombero ______________ la vida tratando de salvar al niño del incendio.

EL PRETÉRITO – VERBOS IRREGULARES

CAMBIOS ORTOGRÁFICOS – VERBOS QUE TERMINAN EN *-CAR*

	TOCAR	BUSCAR	SACAR	COLOCAR
yo	to**qu**é	bus**qu**é	sa**qu**é	colo**qu**é
tú	tocaste	buscaste	sacaste	colocaste
él/ella/usted	tocó	buscó	sacó	colocó
nosotros/as	tocamos	buscamos	sacamos	colocamos
vosotros/as	tocasteis	buscasteis	sacasteis	colocasteis
ellos/as/Uds.	tocaron	buscaron	sacaron	colocaron

EMBARCAR embar**qu**é, embarcaste, embarcó, embarcamos, embarcasteis, embarcaron

¡OJO! Por razones de fonética la **-c-** de la raíz cambia en **-q-** y se añade la vocal **-u-**en la *primera persona singular.*

Completa cada verbo de la sección **A** con la expresión/explicación más adecuada de la sección **B.**

A)
1) tocar ____________________
2) buscar ____________________
3) colocar ____________________
4) colocarse ____________________
5) embarcar ____________________
6) embarcarse ____________________
7) sacar ____________________

B)
poner en un lugar
la guitarra/una cosa/un disco
encontrar trabajo
un objeto perdido
subir (una persona) a un barco
meter a personas o mercancías en una embarcación
quitar o apartar a una persona o una cosa de un sitio; deducir; obtener; ganar en la lotería; llevar fuera

CAMBIOS ORTOGRÁFICOS – VERBOS QUE TERMINAN EN *-CAR*

Completa cada frase usando el **pretérito de indicativo** del verbo más adecuado.

tocar, buscar, colocar(se), embarcar(se), sacar

1) Los pasajeros **se embarcaron** para hacer un crucero por varias islas del Caribe.
2) (Yo) ____________________ ese libro durante una semana entera.

3) Los empleados ____________________ la mercancía en el barco.
4) Narciso Yepes ____________________ la guitarra en esta grabación del Concierto de Aranjuez.
5) —Armando, ¿dónde ____________________ mi agenda?
—La ____________________ en tu bolsa.
6) El señor Reyes ____________________ el premio gordo en la lotería.
7) —¿Qué hiciste a las ocho?
—____________________ al perro a la calle.
8) El conjunto musical ____________________ música sudamericana.
9) (Yo) Te ____________________ por todas partes pero no pude encontrarte en ningún lugar.
10) La señorita Carrera ____________________ su tarjeta de crédito para pagar las compras.
11) Los músicos ____________________ muy bien.
12) —¿____________________ (tú) alguna información de tu conversación con el señor Argüello?
—No, no ____________________ casi ninguna.

SINÓNIMOS

1) jamás	**nunca**	flaco
2) contento	____________________	carro (América Latina)
3) delgado	____________________	nunca
4) a menudo	____________________	verdadero
5) coche	____________________	ocioso, holgazán
6) bonita	____________________	alegre
7) estúpido	____________________	tonto
8) cierto	____________________	grosero
9) vulgar	____________________	acá
10) perezoso	____________________	frecuentemente
11) beber	____________________	hermosa, guapa, linda
12) economizar	____________________	ahorrar
13) aquí	____________________	todavía
14) aún	____________________	tomar

NUESTRO PLANETA

la selva tropical, las montañas, un río, una playa, el espacio, una hacienda/estancia, un camino (vecinal), el parque, el desierto, la vida submarina, la catarata, la carretera

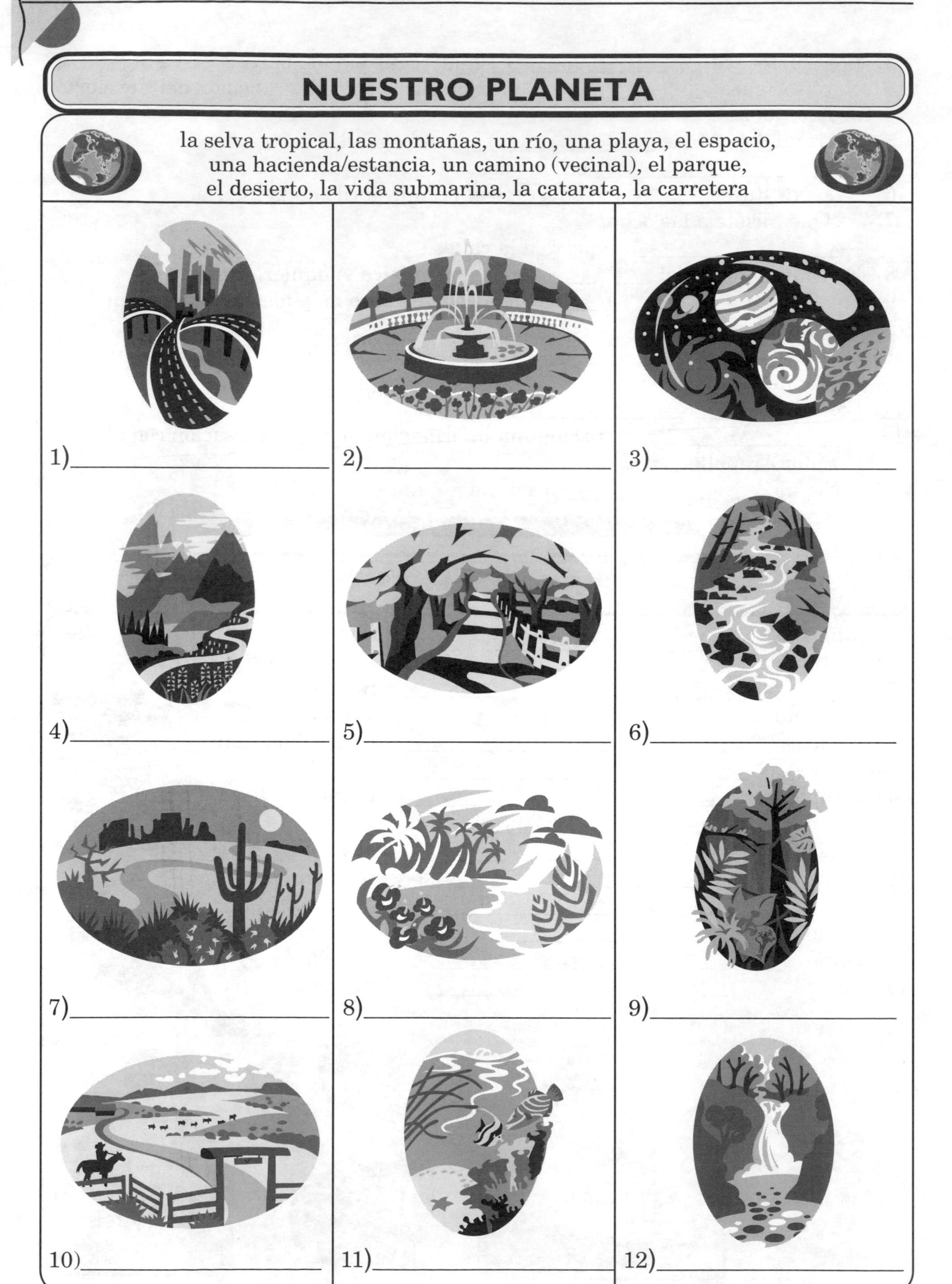

1)________ 2)________ 3)________

4)________ 5)________ 6)________

7)________ 8)________ 9)________

10)________ 11)________ 12)________

EL PRETÉRITO – VERBOS IRREGULARES

CAMBIOS ORTOGRÁFICOS – VERBOS QUE TERMINAN EN *–ZAR*

	EMPEZ*AR*	COMENZ*AR*	GOZ*AR*	ALCANZ*AR*
yo	empe**c**é	comen**c**é	go**c**é	alcan**c**é
tú	empezaste	comenzaste	gozaste	alcanzaste
él/ella/usted	empezó	comenzó	gozó	alcanzó
nosotros/as	empezamos	comenzamos	gozamos	alcanzamos
vosotros/as	empezasteis	comenzasteis	gozasteis	alcanzasteis
ellos/as/Uds.	empezaron	comenzaron	gozaron	alcanzaron

¡OJO! En la *primera persona singular* la **-z-** cambia en **-c-**.

empezar = comenzar

gozar = 1) poseer alguna cosa (buena salud)
2) tener gusto en algo, disfrutar (la vida)

alcanzar = 1) llegar hasta una cosa (por ejemplo, llegar hasta el techo)
2) conseguir, lograr, obtener
3) ser suficiente una cosa

CAMBIOS ORTOGRÁFICOS – VERBOS QUE TERMINAN EN *–ZAR*

Completa cada frase con el **pretérito de indicativo** del verbo más adecuado.

empezar, comenzar, gozar, alcanzar

1) —¿A qué hora **empezaste** (tú) a trabajar?
—__________ a las ocho de la mañana.
2) Los señores Núñez __________ de la vida al máximo.
3) El año pasado __________ muchos de mis sueños y aspiraciones.
4) Los abuelos __________ con la visita de sus nietos.
5) Miguel Induráin __________ la gloria ciclista al ganar el Tour de Francia cinco años seguidos.
6) La obra de teatro __________ a las ocho y terminó a las diez.
7) La provisión de fondos no __________ para pagar todas las deudas.
8) Mi abuela __________ de buena salud toda su vida.
9) La señorita Castro y tú __________ al techo con las manos.

Expresión: *«empezar la casa por el tejado»* = empezar una cosa por donde se debía terminar.

PRONOMBRES PERSONALES (REPASO)

COMPLEMENTOS DIRECTOS E *IN*DIRECTOS

SUJETOS	COMPLEMENTOS DIRECTOS	COMPLEMENTOS *INDIRECTOS*
yo →	me	
tú →	te	
él →	lo →	*le*
ella →	la →	*le*
usted →	lo (masculino) → la (femenino) →	*le* (masculino o femenino)
nosotros/as →	nos	
vosotros/as →	os	
ellos →	los →	*les*
ellas →	las →	*les*
ustedes →	los (masculino) → las (femenino) →	*les* (masculino o femenino)

¡OJO! Los *complementos indirectos* tienen las mismas formas que los *complementos directos* con la excepción de la *tercera persona singular y plural.*

Contesta a las preguntas empleando **dos pronombres.**

1) —¿Quién te explicó el problema? (el profesor)
—El profesor ***me*** ***lo*** ***explicó.***
2) —¿Quién te da tanto dinero? (mi hermano)
—Mi hermano ______________________
3) —¿Quién te ofreció un contrato tan fantástico? (la compañía «Bancarrota»)
—______________________
4) —¿Quién nos presenta al nuevo director de la escuela? (Felipe)
—______________________
5) —¿Quién le hacía tantas preguntas al profesor? (Yolanda y Loli)
—______________________
6) —¿Quién me explica bien el camino? (yo)
—______________________
7) —¿Quién nos ofrece estas vacaciones maravillosas? (vuestros abuelos)
—______________________
8) —¿Quién nos da el número de teléfono de Beatriz? (Lupe)
—______________________
9) —¿Quién te prestó el dinero para viajar a Europa? (mis padres)
—______________________
10) —¿Quién le dejó una propina tan generosa al camarero? (Pepe)
—______________________
11) —¿Quién te decía siempre la verdad? (Isabel)
—______________________
12) —¿Quién os da el nombre del hotel? (María)
—______________________

PRONOMBRES PERSONALES CON INFINITIVOS

REPASO Los pronombres complementos *preceden* a los *verbos conjugados*.

Usted ve *la casa.* Usted **la** ve.	Escribo *una carta a mi novio.* **Se la** escribo.

Cuando el pronombre complemento se usa con un *infinitivo*, se añade al final de éste (el infinitivo) y forma una sola palabra con él.

Voy a *visitar la casa.* Voy a *visitar**la**.*	Quiere escribir *una carta a su novio.* Quiere *escribír**sela**.*

¡OJO! Cuando hay dos pronombres complementos, el complemento **indirecto** *precede* al complemento **directo.**

PRONOMBRES PERSONALES CON INFINITIVOS

Contesta a las preguntas usando un **infinitivo.** Sigue el ejemplo.

1) —¿Quién va a admitir el error? (ellos)
   — ***Ellos van a admitirlo.***
2) —¿Quieres visitar a tus primos?
   —Sí, ______________________________
3) —¿Piensa usted aceptar la oferta de trabajo?
   —Sí, ______________________________
4) —¿Pensáis vender todos vuestros muebles?
   —Sí, ____________________ y comprarnos otros más modernos.
5) —¿Quieren ustedes estudiar la cultura hispánica?
   —Sí, ______________________________
6) —¿Quieren ustedes ver los últimos vídeos musicales?
   —Sí, ______________________________
7) —¿Quieres ver las fotos de mis primos?
   —Sí, ______________________________
8) —¿Van ustedes a visitar las ruinas incaicas?
   —Sí, ______________________________
9) —¿Tiene Blanca que pagar la cuenta dentro de un mes?
   —Sí, ____________________ antes del primero de mayo.
10) —¿Dónde van (ellos) a esperarme?
   —____________________ en la esquina.
11) —¿Quiere usted probar este vino chileno?
   —¡Claro que ______________________________!
   Es muy bueno.
12) —¿Quién va a organizar la fiesta?
   —Nosotros ______________________________

Escribe las frases sustituyendo **pronombres complementos** por las palabras que están entre paréntesis y las que están *en bastardilla.*

1) Debo decir toda *la verdad.* (a ti)
Debo decírtela.
2) Quieren explicar bien *el problema.* (a nosotros)
____
3) Mis tías quieren mandar *un paquete.* (a mí)
____
4) El banco no quiere prestar *el dinero.* (a ti)
____
5) El mecánico va a arreglar *el coche* para mañana. (a usted)
____
6) —¿Cuándo va el profesor a entregar *los exámenes?* (a los estudiantes)
—Va a ______________________________ la semana próxima.
7) Clara está cansada de repetir *la misma información.* (a vosotros)
____
8) El camarero quiere servir *la sopa* ahora mismo. (a ellos)
____
9) Quiero hacer *las tareas* (para ustedes) pero no tengo bastante tiempo.
____
10) Teresa quiere pedir *un aumento de salario* (a su patrón) pero tiene miedo.
____

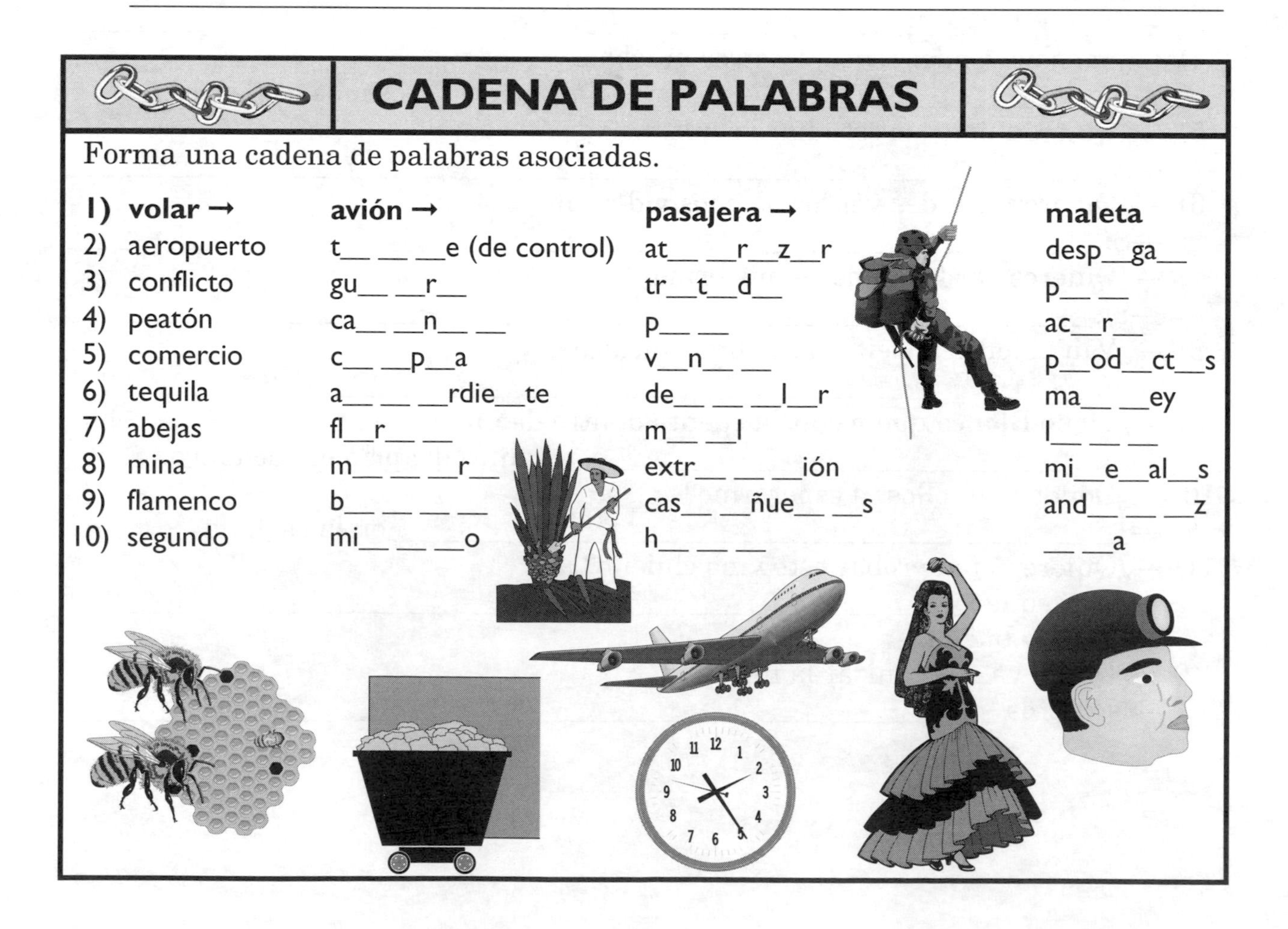

CADENA DE PALABRAS

Forma una cadena de palabras asociadas.

1)	**volar →**	**avión →**	**pasajera →**	**maleta**
2)	aeropuerto	t__ __ __e (de control)	at__ __r__z__r	desp__ga__
3)	conflicto	gu__ __r__	tr__t__d__	p__ __
4)	peatón	ca__ __n__ __	p__ __	ac__r__
5)	comercio	c__ __p__a	v__n__ __	p__od__ct__s
6)	tequila	a__ __ __rdie__te	de__ __ __l__r	ma__ __ey
7)	abejas	fl__r__ __	m__ __l	l__ __ __
8)	mina	m__ __ __r__	extr__ __ __ión	mi__e__al__s
9)	flamenco	b__ __ __ __	cas__ __ñue__ __s	and__ __ __z
10)	segundo	mi__ __ __o	h__ __ __	__ __a

EL PRETÉRITO – REPASO

Completa con el **pretérito** del verbo que más conviene al significado de la frase.

llegar, servir, comer, divertirse, empezar, buscar, pagar, leer, estar, tocar

1) (Yo) **Comí** unas empanadas ayer.
2) Ellas ________________ el contrato otra vez.
3) (Yo)________________ la guitarra anoche.
4) (Yo) Te ________________ por todas partes pero no pude encontrarte.
5) —¿Desde cuándo estudias español?
   —________________ el semestre pasado.
6) —¿________________ usted en la fiesta?
   —Sí, estuvo muy entretenida.
7) —¿A qué hora ________________ el señor Carrillo?
   —________________ hace veinte minutos.
8) —¿Dónde pasaste la noche?
   —________________ en casa de un amigo.
9) —(Yo) ________________ la última cuenta de la electricidad y ahora estoy sin un peso.
10) —Le dejamos una buena propina al camarero porque nos ________________ muy bien.

ASOCIACIÓN DE PALABRAS

Completa las palabras de la izquierda con la/s palabra/s adecuada/s que está/n a la derecha.

1) aprender	**un idioma (una lengua)**	portátil
2) el pelo	________________	el champú
3) el autobús	________________	un idioma (una lengua)
4) (enviar) una carta	________________	la velocidad
5) viajar	________________	un sello
6) escuchar	________________	el transporte público
7) una computadora	________________	a tiempo parcial
8) trabajar	________________	a España
9) una carrera	________________	música
10) coche deportivo	________________	ciclista

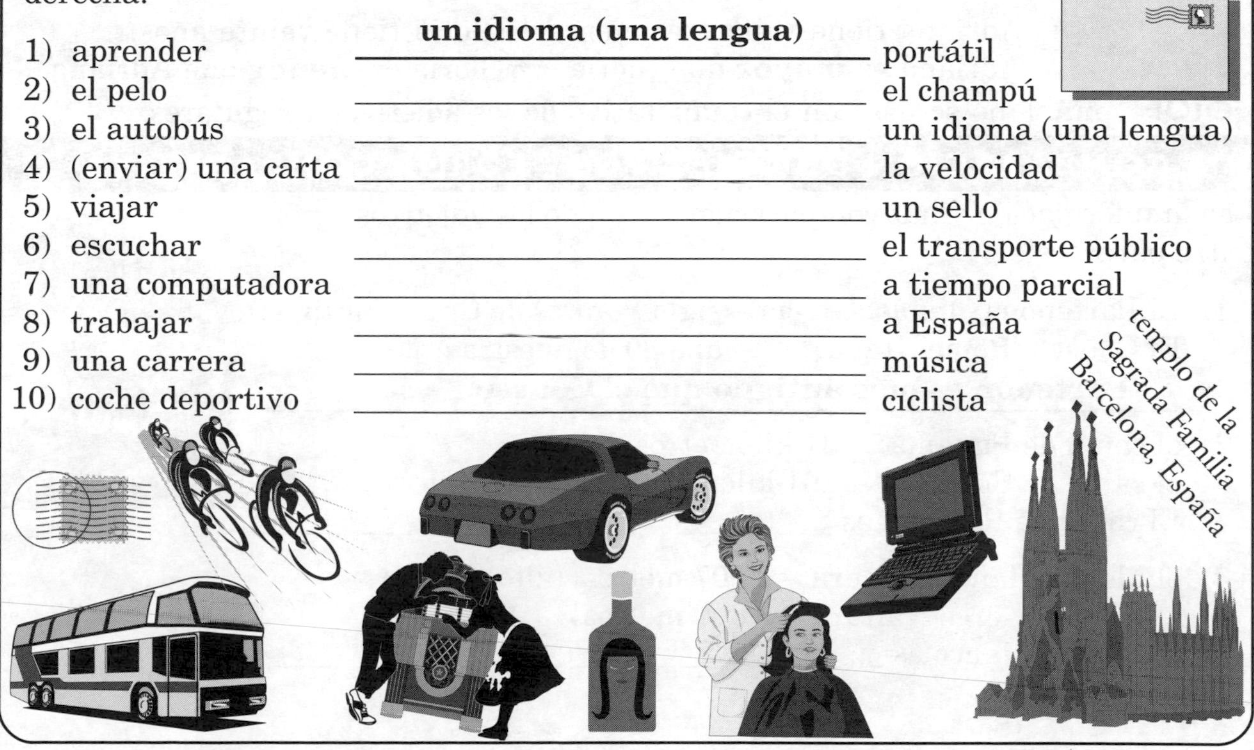

COMPARACIÓN DE ADJETIVOS – FORMA COMPARATIVA

La *forma comparativa* se usa para comparar dos cosas (o dos grupos de cosas), personas, etc.

Pedro pesa *noventa* kilos. → Luis pesa *ochenta* kilos.

comparación de *superioridad* → Pedro es *más gordo que* Luis.
comparación de *inferioridad* → Luis es *menos gordo que* Pedro.

¡OJO! La comparación de *superioridad* se construye con:
más + adjetivo + que
Pedro es *más gordo que* Luis.
La comparación de *inferioridad* se construye con:
menos + adjetivo + que
Luis es *menos gordo que* Pedro.

POSITIVO	COMPARATIVO
gordo/a/os/as →	*más* gordo/a/os/as *que*
alto/a/os/as →	*más* alto/a/os/as *que*
inteligente/es →	*más* inteligente/es *que*

EXCEPCIONES

POSITIVO	COMPARATIVO
bueno/a/os/as →	**mejor**/es *que*
malo/a/os/as →	**peor**/es *que*
pequeño/a/os/as →	**menor**/es *que* (más pequeño que)
grande/es →	**mayor**/es *que* (más grande que)

Mayor significa también «de más edad o más viejo» y *menor* significa también «de menos edad o más joven».

Adriana tiene veintitrés años. → Gloria tiene veinte años.
Adriana es **mayor** que Gloria. → Gloria es **menor** que Adriana.

¡OJO! «**más**» no se usa con el comparativo de los adjetivos irregulares.

COMPARACIÓN DE ADJETIVOS – FORMA COMPARATIVA

Lee la información y haz comparaciones usando los adjetivos entre paréntesis.

1) El Partenón (Atenas, Grecia)– siglo V antes de Cristo (antiguo)
El Coliseo (Roma, Italia) – año 80 de nuestra era.
El Partenón es más antiguo que el Coliseo.

2) el canal de Panamá – 81 kilómetros (largo)
el canal de Suez – 161 kilómetros
El canal de Panamá es ____________________

3) el Monte Blanco [altura – 4.807 metros] (alto)
el Monte Everest [altura – 8.800 metros]
El Monte Blanco es ____________________

4) el Océano Pacífico – 180.000.000 kilómetros cuadrados (grande)
el Océano Atlántico – 106.200.000 kilómetros cuadrados
El Océano Pacífico es ______________________________

5) el río Misisipí – 3.780 kilómetros (largo)
el río Amazonas – 6.500 kilómetros
El Amazonas es ______________________________

6) el oro – 500 dólares la onza (caro)
la plata – 9 dólares la onza
La plata es ______________________________

7) una niña (joven)
una adolescente
Una niña es ______________________________

8) Un pueblo (pequeño)
una ciudad
Un pueblo es ______________________________

9) un Mercedes Benz (caro)
un Mustang
Un Mercedes Benz es ______________________________

10) una guitarra (pequeño)
un violín
Un violín es ______________________________

11) el volcán de Orizaba [México] – 5.747 metros (alto)
el volcán de Popocatépetl [México] – 5.450 metros
El Popocatépetl es ______________________________

12) Julio Iglesias (popular)
Rafael [cantante español]
Julio Iglesias es ______________________________

13) Canadá – 9.975.000 kilómetros cuadrados (grande)
China – 9.600.000 kilómetros cuadrados
China es ______________________________

14) la cocina italiana (buena)
la cocina americana
La cocina italiana es ______________________________

15) el tequila – 40% alcohol (fuerte)
el jerez – 20% alcohol
El jerez es ______________________________

16) el vino (bueno)
la cerveza
En mi opinión el vino es ______________________________

17) el clima de Alemania (malo)
el clima de Canadá
Creo que el clima alemán es ______________________________

18) el clima de Cuernavaca [México] – seco y agradable (bueno)
el clima de Palenque [México] – muy húmedo
El clima de Cuernavaca es ______________________________

19) el lago Atitlán [Guatemala] – 468 kilómetros cuadrados (pequeño)
el lago Titicaca [Perú, Bolivia] – 8.300 kilómetros cuadrados
El lago Atitlán es ______________________________

20) Clara tiene treinta y cuatro años. (grande)
Guillermo tiene cuarenta años.
Guillermo es ______________________________

ANTÓNIMOS

1) menos	**más**	raramente
2) delante de	____________	detrás de
3) frecuentemente	____________	después de
4) fácilmente	____________	cerca de
5) ayer	____________	tarde
6) antes de	____________	allí
7) nada	____________	debajo de
8) aquí	____________	más
9) siempre	____________	mañana
10) temprano	____________	nunca
11) lejos de	____________	últimamente
12) encima de	____________	rápidamente
13) lentamente	____________	poco
14) primeramente	____________	difícilmente
15) mucho	____________	todo

¡VAMOS A CONVERSAR! (págs. 87–98)

1) Contesta a las preguntas con frases completas.
2) Practica con tu compañero/a. Uno lee las preguntas y el otro escucha y responde sin consultar sus hojas (y viceversa).
3) Sin consultar tus hojas, improvisa preguntas y responde a las de tu compañero.

1) —¿Llegaste temprano al colegio hoy?
—______________________________
—¿A qué hora llegaste?
—______________________________

2) —¿Quién pagó la última cuenta de la electricidad en tu casa?
—______________________________

3) —¿Entregaste la composición a la profesora?
—______________________________

4) —¿Tocabas algún instrumento cuando eras niño?
—______________________________

5) —¿Te tocó el premio gordo en la lotería?
—______________________________

6) —¿Buscaste el origen de tu apellido?
—______________________________

7) —¿Sacaste bastante provecho de tu último curso de español?
—______________________________

8) —¿Cuántos años tenías cuando empezaste a trabajar?
—______________________________

9) —¿Gozaste mucho durante tus últimas vacaciones?
—______________________________

10) —¿Alcanzaste la explicación del profesor?
—______________________________

11) —¿De qué país es el tequila?
—______________________________
—¿De qué planta se destila?
—______________________________

12) —¿Qué es el flamenco? ¿De qué región es?
—______________________________

13) —¿Qué alimento producen las abejas?
—______________________________
—¿Te gusta?
—______________________________

14) —¿Quién sirve la comida en tu casa?
—______________________________
—¿Quién friega los platos?
—______________________________

COMPARACIÓN DE ADJETIVOS – LA FORMA SUPERLATIVA

La forma **superlativa** se usa para comparar más de dos cosas (o dos grupos de cosas), personas etc.

el platino cuesta 700 dólares la onza
el oro cuesta 500 dólares la onza
la plata cuesta 9 dólares la onza
El platino es **el** metal **más caro** *del* mundo.

El **superlativo** se compone con:

el artículo definido (el, la, los, las) + más + adjetivo

forma **superlativa** → El platino es **el** metal **más caro** *del* mundo.
(forma **comparativa** → El platino es **más caro que** el oro.)

¡OJO! Nota el uso de la preposición *«de»* con el superlativo.

COMPARACIÓN DE ADJETIVOS

POSITIVO	COMPARATIVO	SUPERLATIVO
gordo/a/os/as →	más gordo/a/os/as que	el/la/los/las más gordo/a/os/as
alto/a/os/as →	más alto/a/os/as que	el/la/los/las más alto/a/os/as
inteligente/es →	más inteligente/es que	el/la/los/las más inteligente/es

EXCEPCIONES

POSITIVO	COMPARATIVO	SUPERLATIVO
bueno →	mejor que	el mejor
malo →	peor que	el peor
pequeño →	menor que (o más pequeño que)	el menor (o el más pequeño)
grande →	mayor que (o más grande que)	el mayor (o el más grande)

COMPARACIÓN DE ADJETIVOS – LA FORMA SUPERLATIVA

Completa las frases usando el **superlativo** de los adjetivos entre paréntesis.

1) Los cigarros cubanos son **los mejores** del mundo. (bueno)
2) El Monte Blanco es el pico **más alto** de los Alpes.[1] (alto)
3) México es una de las ciudades ________________ del mundo. (grande)
4) El flamenco es el baile ________________ de España. (conocido)
5) Beatriz es ________________ estudiante de nuestra clase. (bueno)
6) Augusto es ________________ estudiante del colegio. (malo)
7) Carmen Maura es una de ________________ actrices del cine español. (bueno)
8) Este programa es ________________ que hay esta noche. (interesante)
9) París es la ciudad ________________ de Europa. (cultural)
10) Júpiter es el planeta ________________ del sistema solar. (grande)
11) El Orizaba es el pico ________________ de México. (alto)

12) Julio Iglesias es el cantante ________________ de lengua española y uno de ________________ del mundo entero. (popular)
13) Pelé fue el ________________ futbolista del mundo en la década de los años sesenta. (bueno)
14) El salto del Ángel (Venezuela) son las cataratas ________________ del mundo [979 metros]. (alto)
15) Las cataratas del Niágara son probablemente ________________ del mundo, aun si miden solamente 47 metros de altura. (visitado)
16) Copacabana es la playa ________________ de Río de Janeiro. (famoso)
17) Este hotel es ________________ de todos. (malo)
18) El Nilo es el río ________________ del mundo. (largo)
19) El autor de Don Quijote de La Mancha, Miguel de Cervantes, es el escritor ________________ de la literatura española. (célebre)
20) Argentina es el país ________________ del mundo hispano. (grande)
21) El volcán del Aconcagua [6 959 metros] es el pico ________________ de la cordillera de los Andes y de toda América. (elevado)

[1]El *artículo definido* (el/la/los/las) **no** es necesario cuando ya hay uno:

El Monte Blanco es **el** pico *más alto* de los Alpes.

Comenta los dibujos e inventa un título (humorístico, si es posible) que ilustre el enfoque de cada uno.

EL VERBO IMPERSONAL «HABER»

Haber, como verbo impersonal se usa sólo en la **tercera persona singular**.

Presente	Pretérito	Imperfecto
hay	*hubo*	*había*

Ejemplos: a) —¿Cuántos estudiantes *hay* en la clase hoy? (presente)
—*Hay* dieciocho estudiantes.
b) —¿Cuántos estudiantes *hubo* ayer? (pretérito)
—Ayer *hubo* dieciséis estudiantes.
c) —¿Cuántos estudiantes *había* antes? (imperfecto)
—Antes *había* unos más.

¡OJO! Las tres formas son *invariables.*

Completa cada frase con el **presente,** el **pretérito** o el **imperfecto** de **haber,** según el significado de la frase.

1) —¿Cuántas personas **hubo** en la reunión ayer?
—________________ seis personas.
2) —¿________________ cerveza en la nevera?
—Sí, todavía ________________ dos botellas más.
3) —________________ mucho tráfico en esta ciudad, ¿verdad?
—Sí, todavía ________________ mucho tráfico, pero antes de la construcción del metro ________________ más.
4) Todavía ________________ bastante oro en las minas de América Latina, pero antes de la colonización ________________ mucho más.
5) —¿Podemos hacer algo?
—No, no ________________ nada que hacer.
6) —Claudia, ¿ ________________ alguien allí?
—No, aquí no ________________ nadie.
7) Durante el apagón ________________ muchos accidentes.
8) En el mundo ________________ millones de personas que viven en la pobreza.
9) Ayer ________________ una manifestación importante para protestar contra las medidas de austeridad promulgadas por el nuevo gobierno.
10) Antes de la construcción del hotel, aquí ________________ unas casitas rústicas muy bonitas.

EL IMPERFECTO – REPASO

Completa cada frase con el **imperfecto** del verbo que pide el significado de la frase.

ser (2), ir (2), ver, pensar, servir, estar, saber, acostarse, preparar, almorzar

1) (Yo) **iba** a estudiar pero vinieron a visitarme algunos amigos y no pude.
2) No (nosotros) ________________ que ustedes también estaban de vacaciones aquí en Río de Janeiro.
3) Mi hermano ________________ ir a la universidad el año próximo pero cambió de idea.
4) —¿Viajabas mucho antes?
   —Sí, cuando ________________ estudiante hacía un viaje cada año.
5) Durante el año escolar las chicas ________________ muy temprano.
6) Ese camarero nos ________________ muy bien.
7) —Tú ________________ muchas películas, ¿verdad?
   —Sí, pero desgraciadamente ya no tengo tiempo para ir al cine.
8) —El padre de Gabriel ____________ un buen cocinero, ¿verdad?
   —Sí, de vez en cuando nos ________________ unas paellas deliciosas.
9) La señorita Darío ________________ leyendo el diario cuando los ladrones trataron de entrar en su casa.
10) Cristina ________________ a comprarse un coche deportivo pero cambió de idea porque los coches deportivos son muy caros.
11) Nosotras ________________ en ese restaurante a menudo.

VOCABULARIO

un secador (para el pelo), un/a mezclador/a, la linterna, la cafetera, el ventilador, la cocina, la máquina de coser, el sacacorchos, el lavaplatos, la tetera, la lavadora, la secadora

INSTRUCCIONES: Primero, dobla la hoja siguiendo la línea del centro de la página. Después, con otro estudiante improvisa una conversación en el restaurante. Un estudiante hace el papel del camarero y el otro hace el papel del cliente. Cada estudiante puede mirar solamente las notas que corresponden a su personaje (estudiante 1 – el camarero, estudiante 2 – el cliente). Luego, repite la conversación cambiando el papel con tu compañero (el estudiante 1 hace el papel del cliente y el estudiante 2 hace el papel del camarero).

RESTAURANTE EL RANCHITO

estudiante 1 – camarero es camarero en un restaurante mexicano (El Ranchito)	**estudiante 2 – cliente** está en un restaurante mexicano (El Ranchito)
1) saluda al cliente	2) responde a los saludos del camarero
3) pregunta al cliente si necesita una mesa para una persona o para varias personas	4) responde que necesita una mesa para una persona
5) acompaña al cliente a la mesa ("Por aquí, por favor./Sígame por favor.")	
6) pregunta al cliente si quiere un aperitivo	7) responde que sí y le pregunta al camarero qué tipo de aperitivos tiene
8) margarita, ginebra y tónica, vermut	9) pregunta al camarero qué es una margarita
10) margarita – una bebida a base de tequila (una bebida alcohólica mexicana) con jugo de lima y sal alrededor del borde de la copa	11) pide una margarita
12) sirve la margarita y le da el menú/la carta al cliente	13) da las gracias y prueba la margarita
14) vuelve para tomar el pedido ("¿Está usted listo para pedir?")	15) responde que sí y que tiene mucha hambre
16) pregunta qué quiere de primero	17) pide una ensalada de lechuga y tomates
18) pregunta si quiere una sopa	19) pregunta qué tipo de sopa tiene
20) sopa de fideos, sopa de legumbres, sopa de lentejas, caldo de pollo	21) pide una sopa de lentejas
22) pregunta qué desea como plato principal	23) pide un salmón con patatas fritas y arroz
24) explica que no hay más salmón ("Lo siento, el salmón se acabó/Lo siento, no nos queda más salmón.")	25) pregunta si tienen trucha
26) responde que sí	27) "Entonces, tráigame una trucha con patatas fritas y arroz."
28) pregunta qué quiere beber con la comida	29) pide medio litro de vino blanco
30) el camarero sirve la comida y el vino	31) llama al camarero y le pide un vaso de agua bien fría
32) le pregunta si quiere agua de grifo o agua mineral	33) contesta que quiere agua de grifo
34) explica los postres que tienen ("De postre tenemos flan, helado (de vainilla, chocolate, fresas, coco), pastel de chocolate o de nuez, queso o fruta fresca."	35) pide un pastel de nuez y un café
36) le pregunta si quiere un café negro, un café cortado o un café con leche	37) pregunta qué es un café cortado
38) un café negro con un poco de leche	39) pide un café cortado
	40) pide que le traiga la cuenta
41) el camarero le da la cuenta	42) paga la cuenta
43) el camarero le devuelve el cambio	44) recibe el cambio y le deja una propina al camarero
45 saludos de despedida	46) saludos de despedida

REPASO DEL PRETÉRITO Y DEL IMPERFECTO

USO DEL PRETÉRITO

El **pretérito** de indicativo se usa para expresar *acciones terminadas en un pasado que está separado del presente por un período de tiempo*: una semana, un mes, un día, una noche, un año, etc. Por eso, el **pretérito** se usa con varias expresiones temporales como: *la semana pasada, ayer, anoche, el año pasado, el mes pasado, el martes pasado, en 1988, en aquel momento, de repente, entonces*, etc. En otras palabras, **el pretérito se usa para expresar acciones terminadas en el pasado en un tiempo preciso, expresado o implícito.** Se sabe **cuando** ocurrió la acción.

Ejemplos: *Ayer* **hablé** por teléfono con mi hermana.
El sábado pasado **trabajé** hasta las seis.
Después del curso **volví** a casa.
Ayer **comimos** una paella.
Viví en México *desde 1970 hasta 1982.*
Los Juegos Olímpicos de *1992* **ocurrieron** en Barcelona, España.

USO DEL IMPERFECTO

El **imperfecto** se utiliza:

1) para hacer descripciones (se usan a menudo estos verbos: *ser, estar, haber, tener*):

Las tortugas que vimos en Ecuador **eran** enormes.
Los indígenas **estaban** vestidos con bonitos ponchos.
Había mucha gente en la calle.
Ayer, cuando me levanté, **hacía** fresco.

2) para expresar un estado mental o emocional (se usan a menudo estos verbos: *querer, pensar, parecer, esperar, saber, creer, conocer*):

Marisa **estaba** preocupada por la condición de su padre.
Rafael **quería** ir a la fiesta con Pilar.
Yo **pensaba** que estabas en casa.
En aquel entonces, todo nos **parecía** fácil.
Esperábamos verte en la fiesta.

3) para expresar una acción **continua** (**progresiva**) en el pasado, sobre todo si es interrumpida por otra acción, o si ocurre simultáneamente con otra acción:

Leía un libro cuando *se apagaron* las luces.
(una acción interrumpe la otra [*se apagaron* interrumpe la acción de **leer**])
Mientras algunos chicos **jugaban**, otros **descansaban.**
(las dos acciones [**jugar** y **descansar**] ocurren simultáneamente)

4) una acción **habitual**, una acción que se **repite** en el pasado:

Antes de casarme no **fumaba.**
Los niños **iban** a la escuela todos los días.
Nos veíamos casi todos los sábados.

5) con **expresiones de tiempo** *(la hora del día, la fecha, la estación del año, la edad):*

Eran las dos de la tarde. (la hora) **Era** el cuatro de enero de 1995. (la fecha)
Era de invierno. (la estación del año)
Soledad **tenía** veintidós años cuando se graduó de la universidad. (la edad)

6) en el lenguaje coloquial, (en lugar del presente de indicativo) para expresar cortesía:

Venía (yo) a pedirle su ayuda, si es que no está ocupado.
—¿Qué **quería** usted?
—Un diccionario francés–español.

Completa con el **pretérito** o con el **imperfecto**, según convenga a la frase.

1) Anoche (yo) ___vi___ (ver) a Pedro.
2) Cuando ________________ (tú, llamar) a la puerta ________________ (yo, hablar) por teléfono.
3) Cuando nos levantamos ________________ (hacer) buen tiempo.
4) La semana pasada Emilia ________________ (invitar) a todos sus amigos para celebrar su cumpleaños.
5) Los bailarines ________________ (llevar) vestidos muy vistosos.
6) ________________ (ser) ya las ocho cuando el tren salió de la estación.
7) —¿Qué ________________ (hacer) ustedes ayer?
   —________________ (ir) a visitar a un amigo que está enfermo.
8) Antes de ir de viaje ________________ (yo, despedirse) de mi familia y de mis amigos.
9) La compañía ________________ (despedir) a dos empleados porque no ________________ (haber) bastante trabajo.
10) —¿Qué tal ________________ (resultar) la gira del cantante Joan Manuel Serrat?
    —________________ (ser) un éxito.
11) (Nosotras) ________________ (ir) a participar en el concurso de belleza pero al último momento nos retiramos.
12) Antes (nosotros) nos ________________ (escribir) casi cada mes.
13) El mes pasado, (ellos) le ________________ (pedir) el dinero porque les hacía falta.
14) Antes los niños ________________ (ver) mucha televisión.

Comenta los dibujos e inventa un título (humorístico, si es posible) que ilustre el enfoque de cada uno.

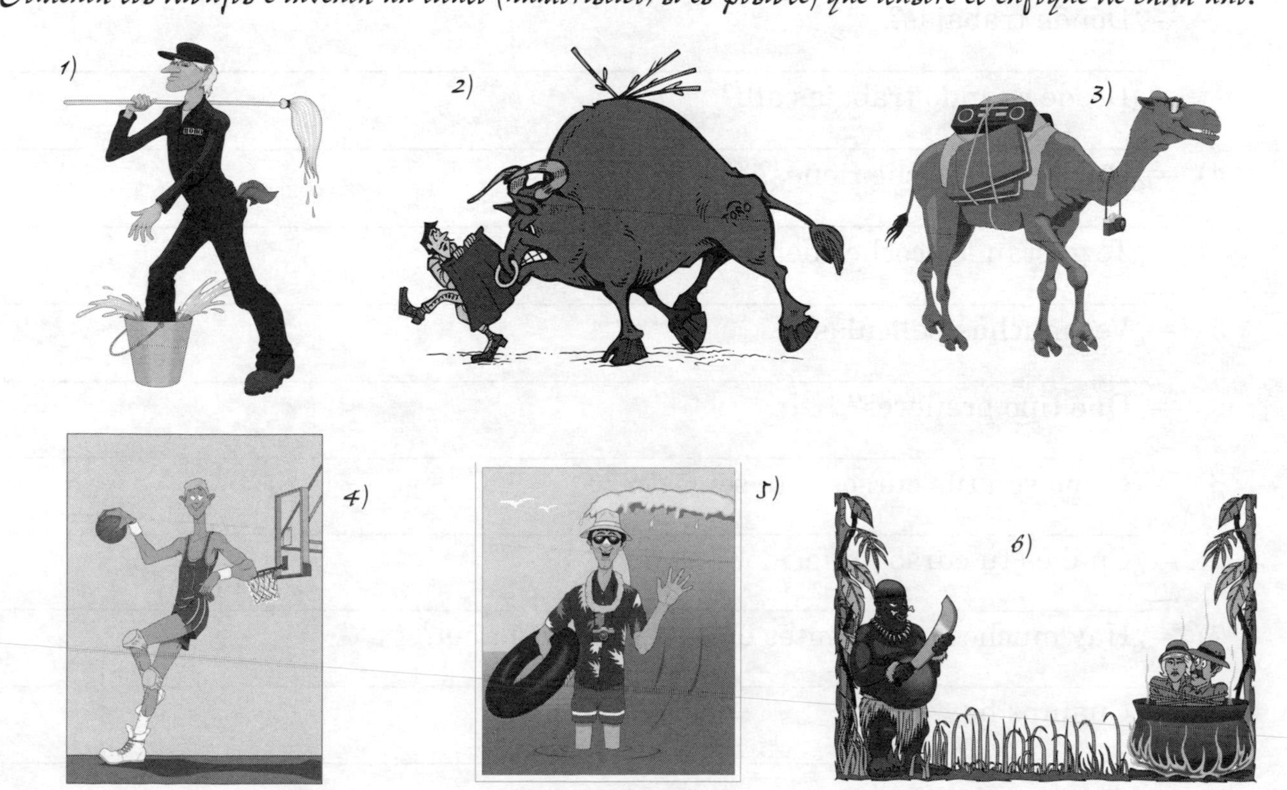

¡VAMOS A CONVERSAR! *(págs. 100–107)*

1) Contesta a las preguntas con frases completas.
2) Practica con tu compañero/a. Uno lee las preguntas y el otro escucha y responde sin consultar sus hojas (y viceversa).
3) Sin consultar tus hojas, improvisa preguntas y responde a las de tu compañero.

1) —¿Te gusta viajar?
—
—¿Cuáles son tus lugares preferidos?
—
—¿Por qué?
—

2) —¿Tienes una computadora en casa?
—
—¿La utilizas a menudo?
—
—¿Para qué la utilizas?
—
—¿Cuánto la pagaste?
—
—¿Cuánto cuesta una computadora similar ahora?
—

3) —¿Trabajas?
—
—¿Dónde trabajas?
—
—¿Desde cuándo trabajas allí?
—

4) —¿Qué tipo de coche tienes?
—
—¿Te gustan los coches deportivos?
—

5) —¿Ves muchas películas?
—
—¿Qué tipo prefieres?
—

6) —¿Cómo son tus cursos este semestre?
—
—¿Cuál es tu curso preferido?
—

7) —¿Hay muchos estudiantes en la clase de español?
—
—¿Cuántos hay?
—

8) —¿Cuántos habitantes hay en tu ciudad?

—

9) —¿Te acostabas temprano cuando eras niño?

—

—¿A qué hora te levantabas?

—

10) —¿Con quién almorzaste ayer?

—

—¿Dónde almorzaste?

—

—¿Qué comiste?

—

11) —¿Hablaste por teléfono ayer?

—

—¿Con quién?

—

12) —¿Hacía buen tiempo cuando te levantaste esta mañana?

—

13) —¿A qué hora te acostaste anoche?

—

14) —¿Qué hiciste ayer?

—

15) —¿Has cometido algún error grave últimamente?

—

—¿Qué?

—

16) —¿Has hecho algo especial últimamente?

—

—¿Qué?

—

17) —¿Has escrito alguna carta o postal?

—

—¿A quién?

—

18) —¿Cuáles son algunos cambios notables que han ocurrido en el siglo XX?

—

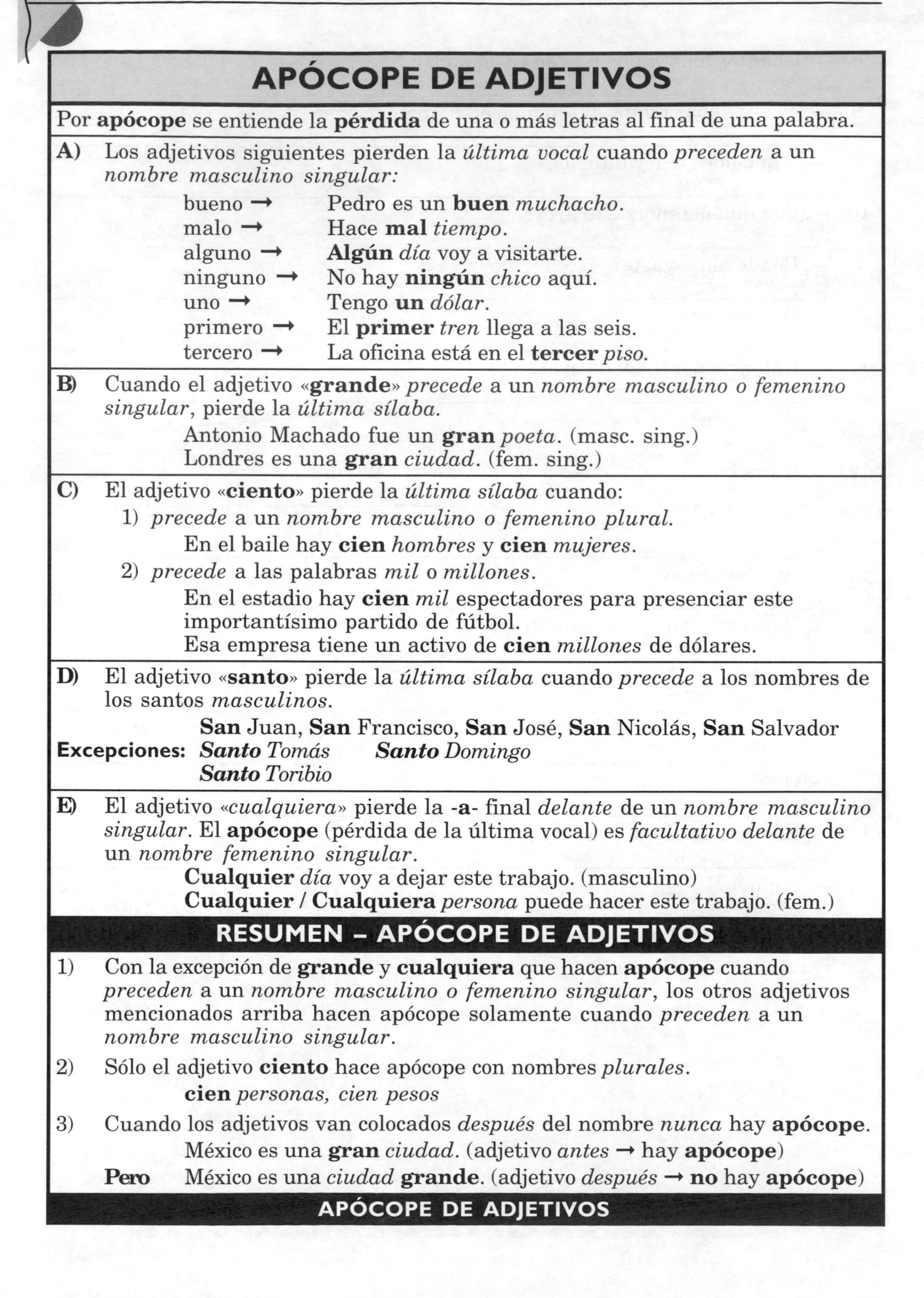

APÓCOPE DE ADJETIVOS

Por **apócope** se entiende la **pérdida** de una o más letras al final de una palabra.

A) Los adjetivos siguientes pierden la *última vocal* cuando *preceden* a un *nombre masculino singular:*

bueno → Pedro es un **buen** *muchacho.*
malo → Hace **mal** *tiempo.*
alguno → **Algún** *día* voy a visitarte.
ninguno → No hay **ningún** *chico* aquí.
uno → Tengo **un** *dólar.*
primero → El **primer** *tren* llega a las seis.
tercero → La oficina está en el **tercer** *piso.*

B) Cuando el adjetivo «**grande**» *precede* a un *nombre masculino o femenino singular*, pierde la *última sílaba.*

Antonio Machado fue un **gran** *poeta.* (masc. sing.)
Londres es una **gran** *ciudad.* (fem. sing.)

C) El adjetivo «**ciento**» pierde la *última sílaba* cuando:

1) *precede* a un *nombre masculino o femenino plural.*
En el baile hay **cien** *hombres* y **cien** *mujeres.*
2) *precede* a las palabras *mil* o *millones.*
En el estadio hay **cien** *mil* espectadores para presenciar este importantísimo partido de fútbol.
Esa empresa tiene un activo de **cien** *millones* de dólares.

D) El adjetivo «**santo**» pierde la *última sílaba* cuando *precede* a los nombres de los santos *masculinos.*

San Juan, **San** Francisco, **San** José, **San** Nicolás, **San** Salvador
Excepciones: ***Santo*** *Tomás* ***Santo*** *Domingo* ***Santo*** *Toribio*

E) El adjetivo «*cualquiera*» pierde la **-a-** final *delante* de un *nombre masculino singular*. El **apócope** (pérdida de la última vocal) es *facultativo delante* de un *nombre femenino singular.*

Cualquier *día* voy a dejar este trabajo. (masculino)
Cualquier / Cualquiera *persona* puede hacer este trabajo. (fem.)

RESUMEN – APÓCOPE DE ADJETIVOS

1) Con la excepción de **grande** y **cualquiera** que hacen **apócope** cuando *preceden* a un *nombre masculino o femenino singular*, los otros adjetivos mencionados arriba hacen apócope solamente cuando *preceden* a un *nombre masculino singular.*
2) Sólo el adjetivo **ciento** hace apócope con nombres *plurales.*
cien *personas, cien pesos*
3) Cuando los adjetivos van colocados *después* del nombre *nunca* hay **apócope.**
México es una **gran** *ciudad.* (adjetivo *antes* → hay **apócope**)
Pero México es una *ciudad* **grande**. (adjetivo *después* → **no** hay **apócope**)

APÓCOPE DE ADJETIVOS

Completa las frases usando el adjetivo que está entre paréntesis. Haz la *concordancia* y el **apócope** si es necesario.

1) Enero es el **primer** mes del año. (primero)
2) México es una ________________ ciudad. (grande)
3) No hay ________________ persona importante aquí. (ninguno)
4) Enseña a ________________ estudiantes cada semana. (ciento)
5) Jacinta tiene un puesto fantástico. Gana más de ________________ mil dólares por año. (ciento)
6) ____________ Domingo es la capital de la República Dominicana. (Santo)
7) Rezamos una oración a ________________ Juan. (Santo)
8) —No te digo ______________ cosa, ¿sabes? Es la pura verdad. (cualquiera)
9) En la Costa del Sol casi siempre hace ________________ tiempo. (bueno)
10) Usted es la ________________ persona. (tercero)
11) Lope de Vega fue un ________________ escritor. (grande)
12) Cristóbal Colón (1451-1506) hizo ____________ descubrimientos. (grande)
13) No me queda más que ________________ dólar. (uno)
14) La ________________ María es el nombre de una de las carabelas que condujo a Colón a América. (Santo)
15) La Niña y La Pinta son las otras dos carabelas que hicieron el ______________ viaje de descubrimiento. (primero)
16) Es un muchacho muy ________________. (malo)
17) En la India hay varias ciudades ________________ como Bombay, Calcuta y Delhi. (grande)
18) Antes de regresar a mi país quiero comprar ________________ recuerdos de aquí para regalar a mis amigos. (alguno)
19) —Estos zapatos son de muy ________________ calidad. (bueno)
—¿Cuánto cuestan?
—________________ dólares. (ciento)

VOCABULARIO – LA OFICINA

una hoja de papel, un sobre, un sello/una estampilla, una calculadora, una carta, un bolígrafo, la máquina de escribir, la papelera, las carpetas, los archivadores, un ordenador/una computadora, el correo

VOCABULARIO + REPASO DEL PRETÉRITO

A) Encuentra las palabras que tienen una asociación semántica con las palabras de la izquierda.

1) sacar ________**fotos**________ del caballo
2) ir ____________________ un informe
3) tener que ____________________ en la playa
4) broncearse ____________________ a un concierto
5) viajar ____________________ fotos
6) destruir ____________________ lavar el coche
7) traducir ____________________ en el armario
8) poner ____________________ tranquilamente
9) dormir ____________________ casas y edificios
10) caerse ____________________ en tren

B) Completa las frases siguientes en el **pretérito** usando las asociaciones de palabras apropiadas según el contexto de cada frase.

1) ____**Viajamos**____ en ____**tren**____ desde Madrid hasta Sevilla.
2) El fotógrafo ______________ unas ______________ fantásticas de nuestra fiesta.
3) Ayer Jorge __________ ____________ y se lastimó un brazo.
4) La traductora ______________ un ______________.
5) Anoche (yo) __________ ____________ de música española.
6) El terremoto que sacudió México hace algunos años __________ muchas __________.
7) —¿Quién ______________ estas camisas ______________?
—Fui yo.
—Pues, ¿no ves que están sucias y hay que lavarlas?
8) —¿Qué hicieron Arturo y Pepe durante las vacaciones?
—Se bañaron y ____________ en la __________ todos los días.
9) —¿Descansaste bien anoche?
—Sí, ______________ ______________.
10) —¿Por qué no viniste a jugar con nosotros ayer?
—______________ ______________ porque lo necesito para ir a una fiesta hoy.

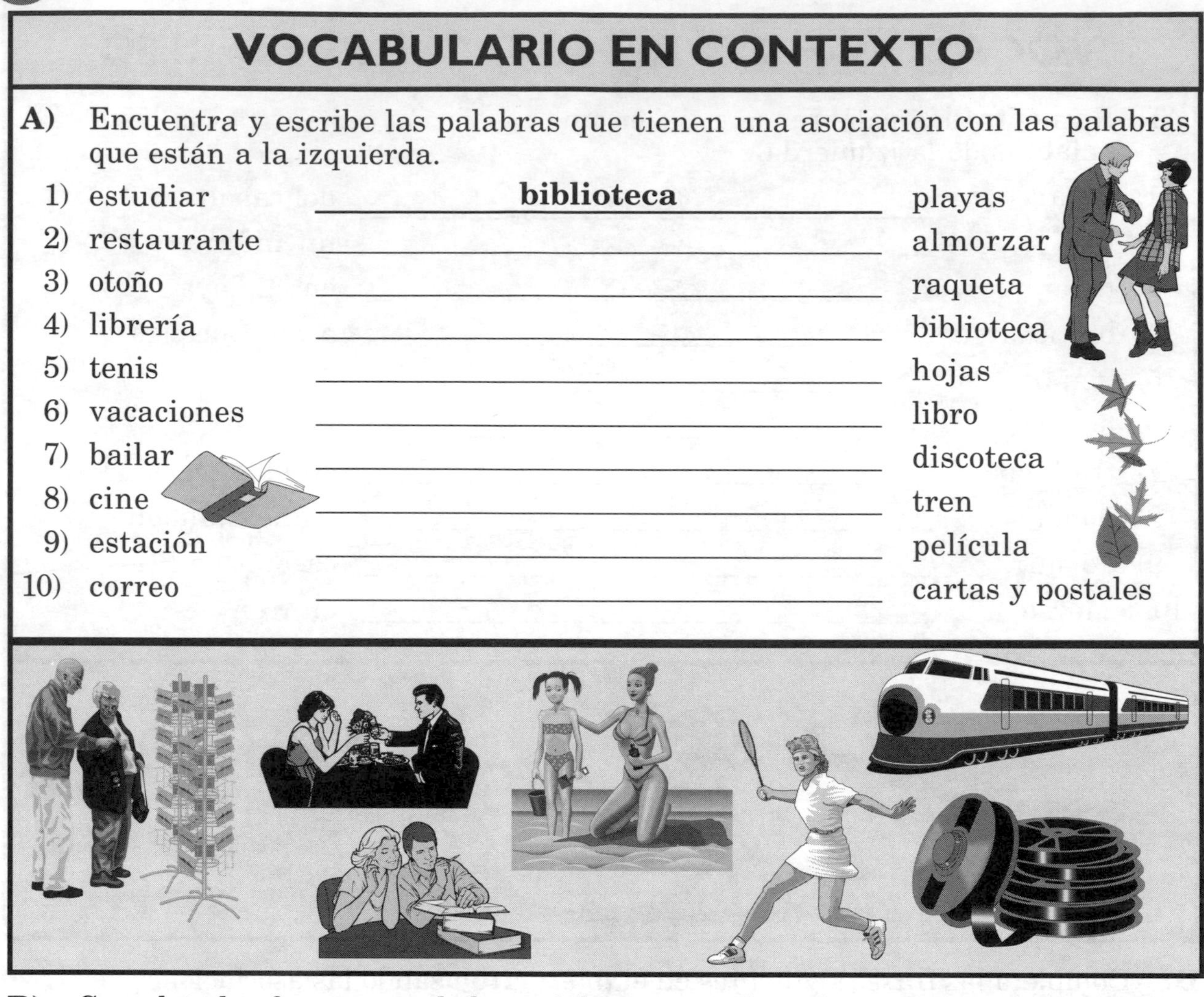

VOCABULARIO EN CONTEXTO

A) Encuentra y escribe las palabras que tienen una asociación con las palabras que están a la izquierda.

1)	estudiar	**biblioteca**	playas
2)	restaurante	________	almorzar
3)	otoño	________	raqueta
4)	librería	________	biblioteca
5)	tenis	________	hojas
6)	vacaciones	________	libro
7)	bailar	________	discoteca
8)	cine	________	tren
9)	estación	________	película
10)	correo	________	cartas y postales

B) Completa las frases usando las palabras asociadas adecuadas.

1) Fui al **restaurante** para **almorzar** con un amigo.
2) Federico fue a la ________ para comprar un ________.
3) Nosotros fuimos al ________ para ver una ________.
4) Ella fue al ________ para comprar timbres y enviar algunas ________.
5) —¿Fuisteis a la ________ para recoger a vuestros amigos?
   —Sí, llegamos allí a las seis pero tuvimos que esperar hasta las siete porque el ________ llegó tarde.
6) Fueron a ________ a la ________ más ruidosa de la ciudad.
7) —¿Adónde fueron ustedes a ________?
   —Fuimos a la ________ porque allí se puede estudiar en tranquilidad.
8) Gloria y Lucía fueron a jugar al ________. Lucía probó su nueva ________ de tenis.
9) Este ________ hicimos una excursión al campo para ver las ________ con sus colores espléndidos.
10) La señora Casals pasó las ________ de invierno gozando de las bellas ________ de la República Dominicana.

COMPARACIÓN DE ADVERBIOS – FORMA COMPARATIVA

Repasa la formación de los adverbios en la página 78. Como los *adjetivos*, los *adverbios* tienen también una forma *comparativa*.

Ahora los estudiantes hablan **más claramente que** antes.
Esta computadora se aprende **más rápidamente que** la otra.

¡OJO! El *comparativo* de **bien** es **mejor que** y el *comparativo* de **mal** es **peor que**.

Ahora los estudiantes hablan español **mejor que** el trimestre pasado. (bien)
Pancho nada **peor que** Armando. (mal)

¡OJO! Nota que **más** no se usa con estas dos formas *irregulares*
bien → **mejor que**
mal → **peor que**

Completa las frases con el **comparativo** (de superioridad) de los **adverbios** que están entre paréntesis.

1) Mauricio habla **más despacio que** sus hermanos. (despacio)
2) Hoy el profesor llegó ______________ la última vez. (temprano)
3) Rosa tradujo el párrafo ________________ yo. (rápidamente)
4) Eva habla alemán ________________ Fernando. (bien)
5) Ahora los estudiantes escuchan ________________ antes. (atentamente)
6) Escribo ________________ el año pasado. (correctamente)
7) Desde que nos aumentaron el salario trabajamos ____________ . (enérgicamente)
8) Rodrigo tiene dificultad en expresarse. Habla ______________ todos los otros chicos. (mal)
9) El cocinero de este restaurante cocina ________________ el cocinero del restaurante donde comimos la semana pasada. (bien)
10) —¿Te gusta viajar en autobús?
—No, prefiero viajar en tren porque se viaja ______________ en autobús. (cómodamente)
11) El equipo español aceptó la derrota ________________ los otros equipos que también fueron eliminados del torneo. (mal)
12) Ahora los hijos esquían ________________ sus padres. (bien)

EL PRETÉRITO PERFECTO – REPASO

Ya es martes y este sábado Raquel y Jorge se van de vacaciones a Quito, Ecuador. Antes de irse tienen que hacer muchas cosas. Ya han hecho algunas cosas (✔), pero todavía les quedan otras que hacer (✕). Escribe frases explicando lo que Raquel y Jorge **han hecho** y lo que **todavía tienen que hacer.** Sigue los ejemplos.

✔ 1) renovar sus pasaportes
Ya han renovado sus pasaportes.

✕ 2) comprar los cheques de viaje
Todavía no han comprado los cheques de viaje. Tienen que comprarlos hoy o mañana.

✔ 3) ir a buscar los billetes de avión
____

✕ 4) comprar una maleta
____

✕ 5) hacer las maletas
____

✔ 6) comprar unos regalos para sus amigos ecuatorianos
____

✕ 7) regar las plantas
____

✕ 8) dejar al perro con los vecinos
____

✔ 9) comprar película para la máquina fotográfica
____

✕ 10) comprar una guía turística
____

✔ 11) telefonear a sus amigos de Quito para anunciarles su llegada
____

✕ 12) comprar gafas de sol
____

✔ 13) reservar un hotel
____

✔ 14) alquilar un coche en Quito
____

✕ 15) lavar el coche
____

✕ 16) despedirse de sus amigos y parientes
____

PRÁCTICA ORAL: Un/a estudiante finge ser Raquel y otro/a Jorge. Raquel le pregunta a Jorge si ha hecho las cosas de la lista (# 1, 3, 5, 7, 9, 11, 13 y 15). Jorge responde y después él pregunta a Raquel si ella ha hecho las otras cosas de la lista (# 2, 4, 6, 8, 10, 12, 14 y 16). Para evitar la repetición se cambian las respuestas de **sí** a **no** y de **no** a **sí**. Este ejercicio combina la práctica del *pretérito perfecto*, del *futuro inmediato (ir a + infinitivo)* y de los *pronombres complementos*.

Ejemplos:

1) Raquel a Jorge

—¿Has renovado los pasaportes?

—No, todavía no los he renovado, pero voy a renovarlos hoy mismo.

2) Jorge a Raquel

—¿Has comprado los cheques de viaje?

—Sí, ya los he comprado.

CADENA DE PALABRAS

Forma una cadena de palabras asociadas.

1) mes →	**año →**	**década →**	**siglo**
2) anteayer	a__e__	__ __y	ma__ __ __a
3) nube	l__u__i__	__ __l	ar__o ir__s
4) seco	h__m__d__	tem__ __a__o	t__ __p__cal
5) panorama	pai__ __ __e	ru__ __l	pint__r__s__o
6) acostarse	d__ __ __i__se	des__ __ __ta__se	__ __van__arse
7) asiento	l__b__e	__cu__ __d__	re__ __ __vad__
8) pelo	c__ __ta__	pe__ __qu__ __o	pe__ __que__ía

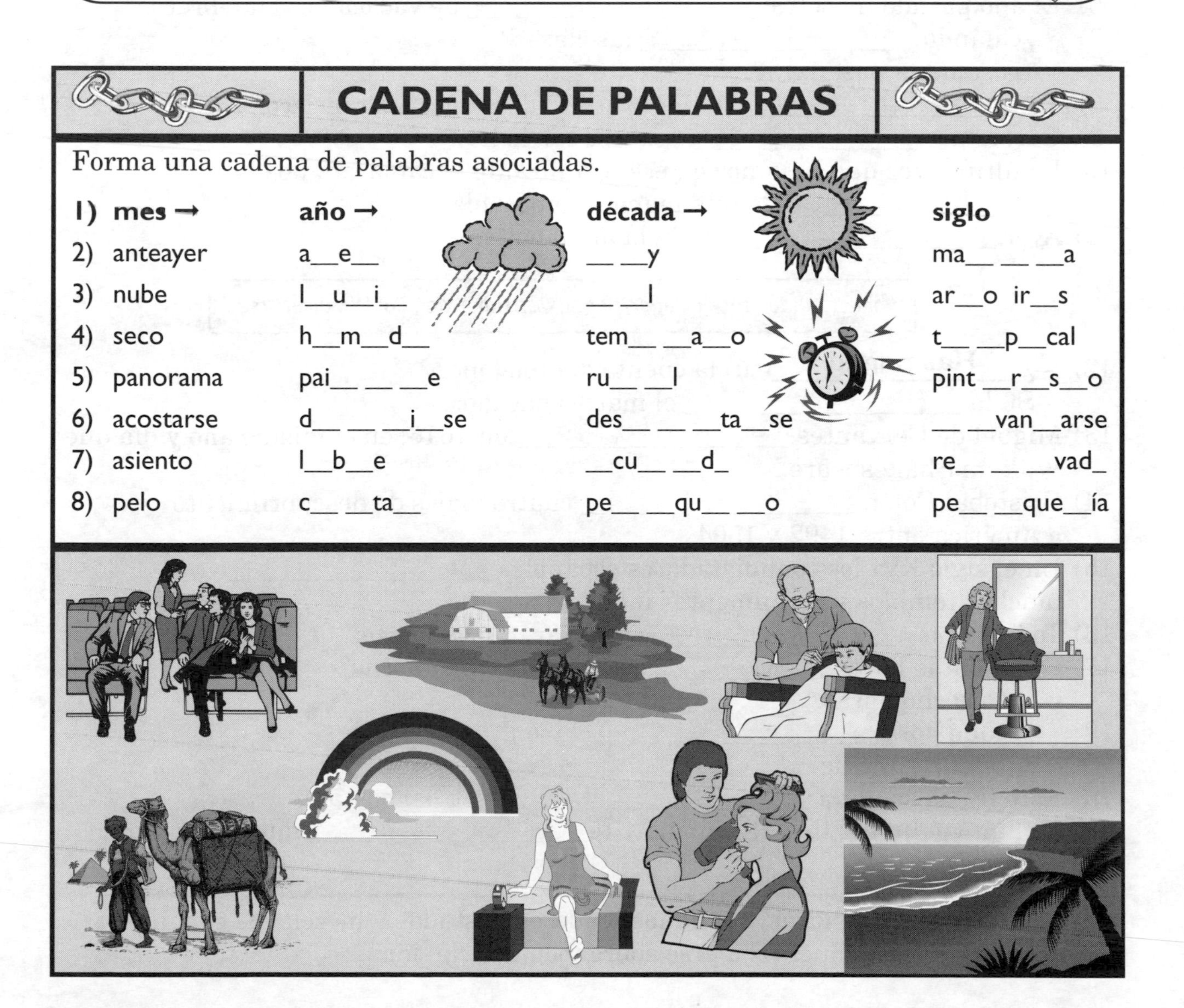

PRETÉRITO / PRETÉRITO PERFECTO

Repasa el uso del *pretérito* (pág. 106) y del *pretérito perfecto* (págs. 64–65) y completa las frases con uno de estos dos tiempos, según convenga a cada frase.

estar, huir, ver, decir, abrir

1) El sábado pasado dos prisioneros **huyeron** de la cárcel.
2) Hoy (yo) ____________________ dos programas de televisión.
3) —¿Qué ____________________ (tú)? No he oído bien.
   —Oh, no ____________________ nada importante.
4) —¿Dónde ____________________ (vosotros) toda la mañana?
   —____________________ en la biblioteca.
5) Este mes la compañía ____________________ dos sucursales.

empezar, servir, devolver, nevar, ir, romper

6) El año pasado (nosotras) ____________________ de vacaciones en febrero.
7) —¿Cuándo ____________________ las clases?
   —La semana pasada.
8) Ya ____________________ el dinero que le debíamos a Francisco.
9) Carmela ____________________ con su novio hoy.
10) La última vez que cenamos en ese restaurante el camarero nos ____________________ de una manera impecable.
11) Ayer ____________________ toda la mañana.

hacer, poder, morir, llegar, pagar, destruir, traer, dormir, divertirse

12) —¿ **Has pagado** (tú) la cuenta del teléfono?
    —Sí, la ____________________ el martes pasado.
13) Miguel de Cervantes ____________________ en 1616, en el mismo año y día que William Shakespeare.
14) Cristóbal Colón ____________________ cuatro viajes de descubrimiento a América entre 1492 y 1504.
15) En el siglo XVI los conquistadores españoles ____________________ muchos templos y monumentos indígenas.
16) Todavía no ____________________ renovar mi pasaporte.
17) —¿Cuántas horas ____________________ Matilde anoche?
    —Unas ocho horas.
18) —¿A qué hora ____________________ el tren?
    —A la una y media.
19) Este fin de semana ____________________ (nosotros) bastante.
20) Ya han vuelto tus tíos de España y te ____________________ mucho turrón.[1]

---

[1] Masa dulce de almendras, avellanas o nueces, tostadas y mezcladas con miel y otros ingredientes. Suele comerse sobre todo por Navidad.

COMPARACIÓN DE IGUALDAD – ADJETIVOS Y ADVERBIOS

REPASO: Cuando se comparan dos cosas o personas que *no son iguales* se usa:

más/menos + adjetivo/adverbio + que

Carmen es **más alta que** Jorge. (comparación de superioridad)
Jorge es **menos alto que** Carmen. (comparación de inferioridad)

Cuando se comparan dos cosas o personas que son *iguales* se usa:

tan + adjetivo/adverbio + como

Cecilia es **tan alta como** Humberto. (adjetivo)
Alberto corre **tan rápidamente como** Ana. (adverbio)

RESUMEN: 1) comparación de *superioridad / inferioridad*

más/menos + adjetivo/adverbio + que

2) comparación de *igualdad*

tan + adjetivo/adverbio + como

Completa las frases con el comparativo de **igualdad** de los adjetivos que están entre paréntesis. Cambia el **adjetivo** en **adverbio** cuando sea necesario.

1) Esta canción es **tan bonita como** la otra. (bonito)
2) Isabel corre **tan rápidamente como** Rosario. (rápido)
3) El coche de Héctor es ______________________ el de Cristina. (caro)
4) La piña es ______________________ la papaya. (sabroso)
5) Esta película de Carlos Saura no es ______________________ algunas de sus obras maestras [La caza, Bodas de sangre]. (interesante)
6) Nuestros vecinos viven ______________________ nosotros. (pobre)
7) En esta isla no se descansa ______________________ en otras islas del Caribe. (bien)
8) Gabriel me trata ______________________ mi propio hermano. (amistoso)
9) Esta carretera no es ______________________ la que tomamos ayer. (buena)
10) El Canadá es ______________________ Alemania. (rico)
11) La nueva profesora habla ______________________ nuestra primera profesora. (claro)
12) Caminas ______________________ una tortuga. (lento)
13) No me gusta conducir ______________________ a Pepita. (rápido)
14) El león no es ______________________ lo pintan. (fiero)
15) El imperio azteca era ______________________ el imperio de los incas. (grandioso)
16) Francisco Pizarro [conquistador del Imperio Incaico] era ______________________ Hernán Cortés [conquistador del Imperio Azteca]. (valiente)
17) Las ruinas mayas de Palenque son ______________________ las de Uxmal. (misterioso)

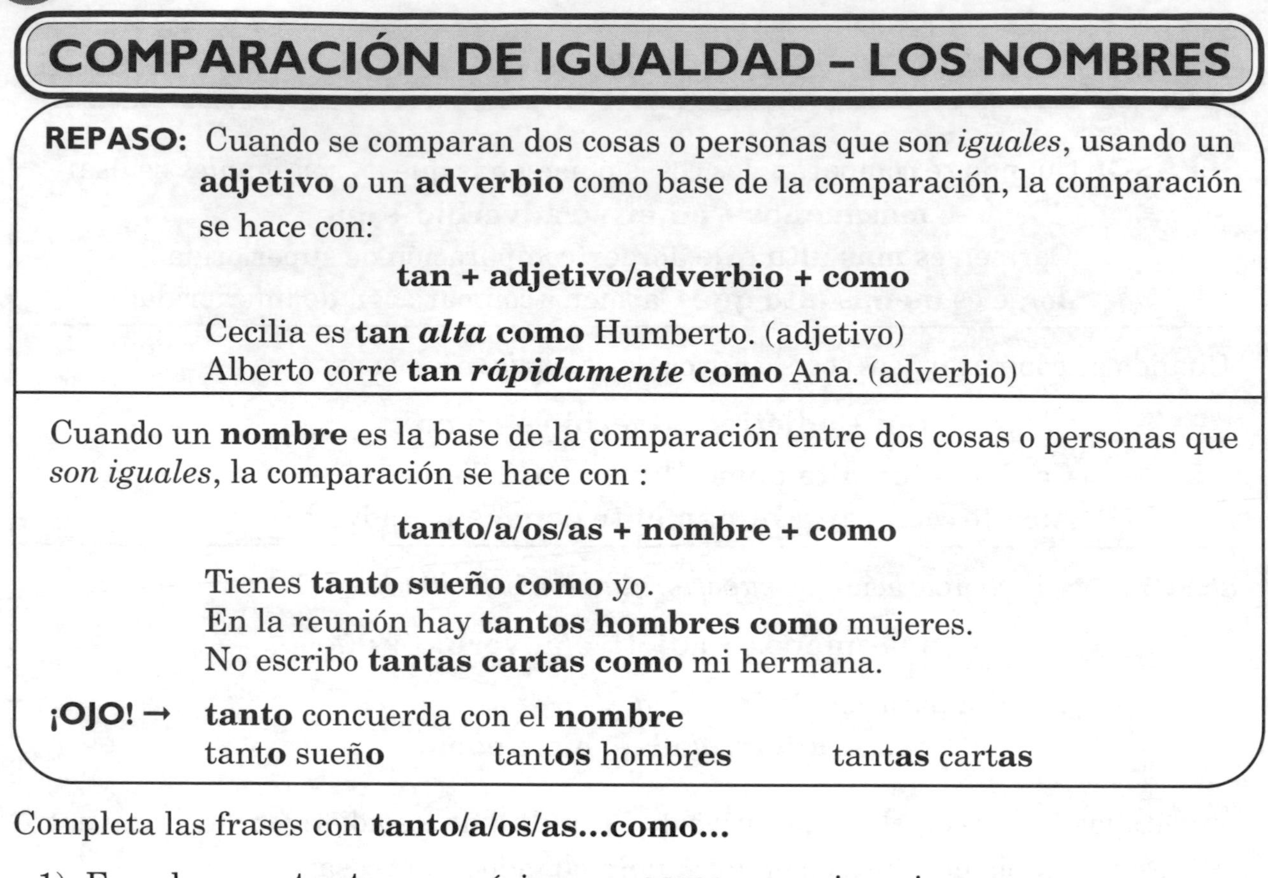

COMPARACIÓN DE IGUALDAD – LOS NOMBRES

REPASO: Cuando se comparan dos cosas o personas que son *iguales*, usando un **adjetivo** o un **adverbio** como base de la comparación, la comparación se hace con:

tan + adjetivo/adverbio + como

Cecilia es **tan *alta* como** Humberto. (adjetivo)
Alberto corre **tan *rápidamente* como** Ana. (adverbio)

Cuando un **nombre** es la base de la comparación entre dos cosas o personas que *son iguales*, la comparación se hace con :

tanto/a/os/as + nombre + como

Tienes **tanto sueño como** yo.
En la reunión hay **tantos hombres como** mujeres.
No escribo **tantas cartas como** mi hermana.

¡OJO! → **tanto** concuerda con el **nombre**
tant**o** sueñ**o** tant**os** hombr**es** tant**as** cart**as**

Completa las frases con **tanto/a/os/as...como...**

1) Escucho ___**tanta**___ música ___**como**___ mis amigos.
2) Anteayer hizo _________ frío _________ ayer.
3) Ella no mira _________ televisión _________ nosotros.
4) Mi padre no gana _________ dinero _________ mi madre.
5) Dorotea toca el piano _________ horas _________ tú.
6) No vemos _________ películas _________ ustedes.
7) Elena escribe _________ cartas _________ sus amigos.
8) Ahora no fuman _________ cigarrillos _________ antes.
9) En la recepción bebimos ________ vino ________ nuestros amigos.
10) Lucía ya no toma _________ café _________ antes.
11) El pintor Francisco de Goya (1746-1828) tiene _________ fama _________ Diego Velázquez (1599-1660).
12) Vamos a pasar _________ tiempo _________ ustedes en Ecuador.
13) En México hay _________ ruinas indígenas _________ en el Perú.
14) Hoy hay _________ estudiantes presentes _________ ayer.
15) En México, D. F. no hace ________ calor ________ en Puerto Escondido (México).

¡VAMOS A CONVERSAR! *(págs. 110–120)*

1) Contesta a las preguntas con frases completas.
2) Practica con tu compañero/a. Uno lee las preguntas y el otro escucha y responde sin consultar sus hojas (y viceversa).
3) Sin consultar tus hojas, improvisa preguntas y responde a las de tu compañero.

1) —¿Sabes bailar el tango?
—______________________________

—¿Has visto a alguien bailar el tango?
—______________________________

2) —¿Te gustan los mariscos?
—______________________________

3) —¿Qué es el merengue?
—______________________________

—¿De qué país es?
—______________________________

4) —¿Tienes primos?
—______________________________

—¿Cuántos?
—______________________________

5) —¿Fue Miguel de Cervantes un gran escritor?
—______________________________

6) —¿En qué tipo de ocasiones sacas fotos?
—______________________________

—¿Eres un buen fotógrafo?
—______________________________

7) —¿Te gusta broncearte?
—______________________________

8) —¿Comes en restaurantes a menudo?
—______________________________

—¿En qué restaurante comiste la última vez?
—______________________________

9) —¿Vas al cine a menudo?
—______________________________

—¿Qué tipo de películas prefieres?
—______________________________

10) —¿Comes rosetas (palomitas) cuando estás en el cine?
—______________________________

11) —¿Cuántos años hay en una década?
—______________________________

—¿Cuántas décadas hay en un siglo?
—______________________________

12) —¿Hace calor hoy?
—______________________________

¡VERIFICA TUS CONOCIMIENTOS!

Trata de asociar el inventor/descubridor/fundador con la invención/el descubrimiento/la fundación. Usa las fechas para ayudarte a encontrar la solución.

inventores/descubridores/fundadores

Karl Friedrich Benz
Thomas Alva Edison
Cristóbal Colón
los aztecas
Lope de Aguirre
Louis y Auguste Lumière
Vasco Núñez de Balboa
Orville y Wilbur Wright
Johann Gutenberg
Alexander Graham Bell

invenciones/descubrimientos/fundaciones

la imprenta
el fonógrafo
el cinematógrafo
El Dorado
el coche
el teléfono
el Océano Pacífico
Tenochtitlán
América
el avión (el primer viaje en un aparato más pesado que el aire)

fechas	*inventor/descubridor/fundador*	*invención/descubrimiento/fundación*
1325	los aztecas	**Tenochtitlán**
1436	Johann Gutenberg	______
1492	______	______
1520	Vasco Núñez de Balboa	______
1560	Lope de Aguirre	______
1876	______	el teléfono
1877	______	el fonógrafo
1885	Karl Friedrich Benz	______
1894	Louis y Auguste Lumière	______
1903	Orville y Wilbur Wright	______

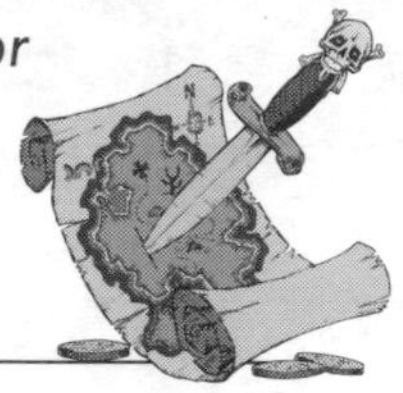

En la lista hay un descubrimiento que nunca se realizó. ¿Sabes cuál es? Lope de Aguirre y muchos otros españoles perdieron la vida en una expedición vana en busca de esa región fabulosa (en Sudamérica). El cineasta español Carlos Saura rodó una película que lleva el título de esa región. Un cineasta alemán, Werner Herzog, también rodó una película que trata acerca de este mismo tema (Aguirre: la cólera de Dios).

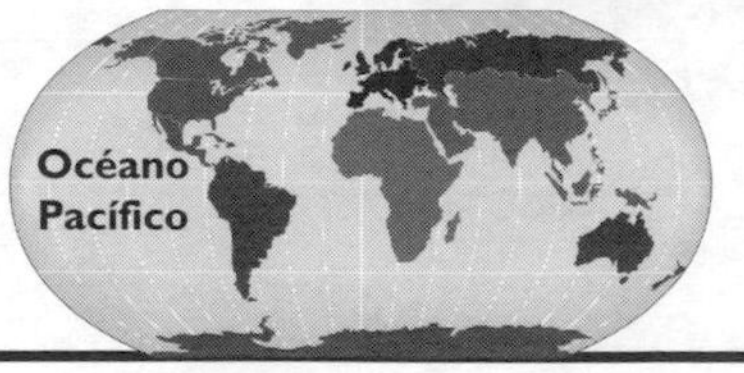

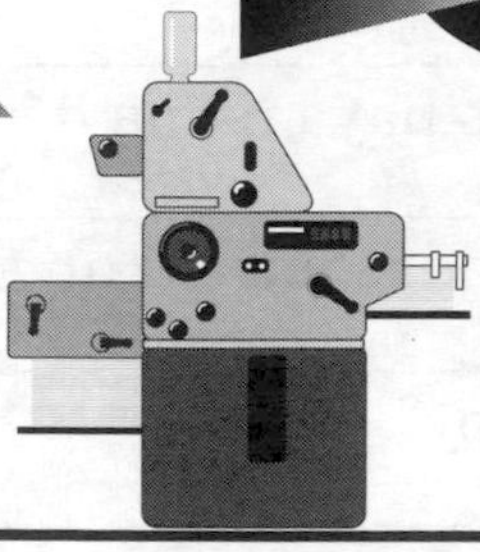

PRÁCTICA ORAL: Basándote en la información de la página anterior, improvisa cortas conversaciones con tu compañero/a.

Ejemplo:

est. 1 —¿Quién inventó el avión?
est. 2 —Los hermanos Orville y Wilbur Wright inventaron el avión paralelamente con otros ingenieros de su tiempo.
est. 1 —¿En qué año lo inventaron?
est. 2 —Lo inventaron en 1903.
est. 1 —¿Sabes de dónde son estos inventores?
est. 2 —Creo que son dos inventores norteamericanos. ¿Qué piensas de esta invención?
est. 1 —Es una invención importante. Gracias a ella podemos visitar muchos países que antes eran inaccesibles para la mayoría de las personas porque se necesitaba mucho tiempo para hacer el viaje. Hoy podemos hacer un viaje a Europa en siete horas o a México o la República Dominicana en cuatro horas y media. ¡Es fantástico!...

prototipo del avión de los hermanos Wright

JUEGO PEDAGÓGICO – EL TIEMPO (2)

LAS VACACIONES

INSTRUCCIONES: Primero, dobla la hoja siguiendo la línea del centro de la página. Después, con otro estudiante improvisa una conversación en una agencia de viajes. Un estudiante hace el papel del cliente y el otro hace el papel del dependiente. Cada estudiante puede mirar solamente las notas que corresponden a su personaje (estudiante 1 – el cliente, estudiante 2 – el dependiente). Luego, repite la conversación cambiando el papel con tu compañero (el estudiante 1 hace el papel del dependiente y el estudiante 2 hace el papel del cliente).

estudiante 1 quieres hacer un viaje y vas a visitar la agencia de viajes *Multiviajes S. A.*	**estudiante 2** eres un dependiente de la agencia de viajes *Multiviajes S. A.*
	1) saluda al cliente
2) responde a los saludos	3) pregúntale en qué puede ayudarle
4) respóndele que quieres hacer un viaje pero no sabes exactamente qué tipo de viaje quieres hacer	5) pregúntale si quiere hacer un viaje cultural o si quiere pasar sus vacaciones en un centro turístico playero
6) respóndele que estás interesado en visitar diferentes lugares pero que también quieres pasar unos días descansando en la playa	7) pregúntale si alguna vez ha visitado México
8) respóndele que no, pero que te gustaría hacerlo	9) sugiérele un viaje organizado a México que le permite combinar excursiones culturales y días de descanso en la playa
10) pregúntale cuánto tiempo dura el viaje	11) dile que es un viaje de dos semanas
12) pregúntale cuánto cuesta el viaje	13) pregúntale si va a hacer el viaje solo o en pareja
14) dile que vas a viajar solo	15) improvisa el precio
16) pregúntale si el precio incluye todos los gastos (avión, hotel, comidas, transporte en México)	17) dile que todo está incluido excepto las bebidas y las entradas a los museos y a los espectáculos
18) pregúntale si es posible compartir una habitación doble con otra persona que viaja sola	19) dile que sí y que puede ahorrar bastante dinero si comparte una habitación doble
20) pregúntale cuánto dinero va a ahorrar	21) improvisa la respuesta

22) pregúntale con qué aerolínea se hace el transporte	23) dale la información que sigue: el viaje se hace con AeroMéxico hasta el aeropuerto de Ciudad de México se hospedan en el hotel El Presidente en la Ciudad de México
24) pregúntale si hay visitas organizadas durante la estancia en México	25) explícale el programa previsto en la Ciudad de México 1er día: visita en autobús de la ciudad (Paseo de la Reforma, Zócalo [plaza], Catedral, Palacio Nacional, Parque de Chapultepec) 2o: día excursión a los Jardines de Xochimilco 3er día: excursión a Teotihuacán
26) pregúntale qué hay de interesante en Teotihuacán	27) explícale que pueden visitar la pirámide del Sol y de la Luna y también el templo de Quetzalcóatl, antiguas ruinas construidas por las civilizaciones indígenas mexicanas Explícale que la pirámide del Sol es una de las más grandes de América. 4o día: excursión a Taxco
28) pregúntale qué hay en Taxco	29) explícale que Taxco es una antigua ciudad colonial famosa por la producción de diferentes artículos de plata. Explícale también que como Taxco es una ciudad colonial, todas las nuevas construcciones tienen que mantener un aspecto característico de la época colonial en México. 5o: día excursión a Cuernavaca
30) pregúntale qué hay de interesante en Cuernavaca	31) dile que tiene un clima primaveral todo el año y que muchos mexicanos ricos tienen su casa de campo allí. Dile también que se puede visitar el palacio de Hernán Cortés, el conquistador del imperio azteca (en 1521).
32) pregúntale qué está programado para el 6o día	33) una visita a Puebla, una ciudad que está a unos 90 minutos de la capital. En el camino van a visitar el famoso pico llamado Popocatépetl.
34) pregúntale si van a visitar un mercado en México	35) Sí, el 7o día está reservado para ir de compras. Por la mañana van a visitar un mercado típico mexicano.
36) pregúntale qué se vende en un mercado típico	37) dile que en un mercado grande hay diferentes secciones que venden diferentes cosas. Por ejemplo, hay una sección donde se vende fruta, otra donde se vende carne, otra donde se vende pescado y otra donde se venden flores y plantas. Algunos mercados tienen restaurantes donde se puede comer o tomar algún jugo de fruta.
38) pregúntale si se venden artículos de artesanía mexicana	39) ¡Claro que sí! Explícale cuáles son algunos de los artículos: ropa (camisas, ponchos, sombreros), cerámica, artículos de cuero (bolsas, cinturones, carteras). Por la tarde van a ir de compras a la Zona Rosa, el barrio comercial por excelencia de la capital mexicana.

40) pregúntale si durante la estancia en México van a asistir a alguna corrida de toros en la capital	41) dile que no y que en cambio van a asistir a una presentación del famoso Ballet Folklórico Mexicano. Explícale que este grupo folklórico ha estudiado y preservado los bailes regionales mexicanos presentándolos no sólo en México sino en todo el mundo. la segunda semana la van a pasar en dos centros turísticos playeros: 4 días en Acapulco y tres días en Ixtapa–Zihuatanejo.
42) pregúntale dónde están estos dos centros turísticos	43) en la costa Pacífica
44) pregúntale si el hotel está en la playa misma o en el interior de la ciudad y cuáles son las actividades/los deportes que ofrece el hotel donde se hospedan	45) improvisa la respuesta
46) pregúntale cuándo es el viaje	47) improvisa la respuesta y pregúntale si está interesado en hacer el viaje
48) improvisa la respuesta	49) etc…

¡CONVERSEMOS!

1) ¿Qué país o continente se asocia con cada dibujo en esta página y en la pág. 124.
2) ¿Qué sabes de esos países o continentes?
   - ¿Sabes los nombres de algunos de los monumentos ilustrados?
   - ¿Reconoces algo que se asocia con un sitio (un animal, un tipo de barco, etc…)?
3) ¿Qué lengua(s) se habla(n) allí?
   - ¿Conoces a personas que son originarias de esos países o continentes?
4) ¿Tienes amigos o parientes que vienen de esos países o continentes?
5) ¿Has visitado uno de los lugares representados?
   - ¿Cuándo lo visitaste?
   - ¿Qué hiciste durante el viaje?
   - ¿Te gustó?
   - ¿Te gustó lo suficiente para volver allí?
   - ¿Ha cambiado tu percepción del lugar que visitaste?
6) ¿Piensas visitar uno de los sitios representados para tus próximas vacaciones?
7) ¿Te gustaría vivir en algunos de estos sitios?
   - ¿Cuáles serían los tres lugares más interesantes para ti?
   - ¿Por qué?

PRETÉRITO / IMPERFECTO (2)

Repasa el uso del *pretérito* y del *imperfecto* en la página 106 y luego completa las frases con la forma correcta del *pretérito* o del *imperfecto* según convenga al significado de la frase.

1) María ___**estaba**___ (estar) en el salón cuando ___**sonó**___ (sonar) el teléfono.
2) No ________________ (patinar - nosotros) mucho tiempo porque ____________ (hacer) mucho frío.
3) Cuando ________________ (salir - yo) de casa ______________ (estar) nevando.
4) Cuando ________________ (ser - nosotras) pequeñas ________________ (ir) a la playa todos los veranos.
5) ________________ (Ser) ya las ocho cuando ________________ (llegar) el tren.
6) Nuestro avión ________________ (despegar) del aeropuerto Mirabel y ________________ (aterrizar) en el aeropuerto José Martí en La Habana.
7) —¿A qué hora ________________ (llegar) ustedes a su hotel?
—________________ (Ser) ya las siete de la tarde cuando ________________ (instalarse) en nuestra habitación.
8) Ayer Luisa me ________________ (decir) que antes ________________ (ver) a Luis a menudo.
9) ________________ (Enterarse - yo) que Cristina ________________ (irse) anoche.
10) Antes de hacerse administradora, Beatriz ________________ (ser) piloto.
11) Ayer ________________ (llover) a cántaros.
12) Después de la cena, Elena y yo ________________ (fregar) los platos y después ________________ (dar) un paseo.
13) Antonio y José ________________ (querer) llamarles cuando ________________ (saber) la noticia, pero ustedes ya ________________ (estar) de viaje.
14) Diana y Dorotea ________________ (ir) a ir de vacaciones a Venezuela pero ________________ (tener) que cancelar sus reservaciones porque Diana ________________ (enfermar) de calenturas (fiebre) el día antes de la salida.

UN VIAJE A MÉXICO

La Pirámide del Sol, Teotihuacán

Completa con la forma correcta del verbo entre paréntesis. Usa el **presente**, el **pretérito** o el **pretérito perfecto** según convenga al contexto.

El año pasado ___fui___ (ir) a México. Entre otras cosas ____________ (visitar) las ruinas de Teotihuacán, que ____________ (estar) a unos cincuenta kilómetros de la ciudad de México. Teotihuacán ____________ (ser) la primera verdadera ciudad de Mesoamérica. En su apogeo hacia el año 600, cien mil habitantes ____________ (vivir) allí. Lo que más me ____________ (impresionar) fue la monumental Pirámide del Sol, construida en el siglo II. Esta pirámide ____________ (ser) uno de los monumentos arqueológicos más grandes de América; ____________ (tener) 225 metros por lado y sesenta y cinco metros de altura.

La Pirámide del Sol nos ____________ (impresionar) por su gran tamaño, pero

La Pirámide de la Luna, Teotihuacán

el monumento más hermoso de Teotihuacán ____________ (ser), sin duda alguna el Templo de Quetzalcóatl, con sus cabezas de serpientes emplumadas

El Templo de Quetzalcóatl en Teotihuacán

(representación del dios Quetzalcóatl) que ____________ (parecer) salir de unas flores de once pétalos. Alternando con estas cabezas emplumadas, se aprecian otras de Tláloc, el dios de la lluvia. Esta alternación de cabezas ____________ (ser) un verdadero prodigio artístico.

También ____________ (visitar) la Biblioteca de la Universidad Nacional Autónoma de México (UNAM) que ____________ (tener) cuatro murales grandiosos del pintor mexicano Juan O'Gorman. Estos cuatro murales ____________ (relatar) la historia de México, desde la época precolombina hasta nuestra era, pasando por la época colonial (1522-1824) y la Revolución Mexicana (1910-20).

→ *cabeza de la serpiente emplumada, Quetzalcóatl*

Biblioteca de la UNAM

Yo ____________ (visitar) México varias veces pero todavía no ____________ (ver) el Orizaba, el pico más alto (5.610 metros) de México. El Orizaba ____________ (estar) entre los estados de Puebla y Veracruz y ____________ (ser) un volcán activo.

Las ruinas mayas son muy impresionantes y misteriosas, sobre todo las de Chichén–Itzá. Estas ruinas ________________ (encontrarse) entre la ciudad de Mérida, capital del estado de Yucatán, y el gran centro turístico de Cancún. Chichén–Itzá ____________ (florecer) durante el período maya–tolteca (siglos XI a XIII), así llamado porque durante esa época la ciudad maya

Templo de los Guerreros con escultura de Chac–Mool, Chichén–Itzá

El Caracol y El Castillo, Chichén–Itzá

fue conquistada y dirigida por los toltecas, una tribu que ____________ (venir) de la ciudad de Tula, en el centro de México. Fue durante esta época que se ____________________ (construir) algunos de los monumentos más espectaculares tales como El Castillo (en honor del dios tolteca Quetzalcóatl, llamado Kukulkán por los mayas), El Templo de los Guerreros, el conjunto de Las Mil Columnas y El Juego de Pelota. Otro monumento muy importante es el observatorio astronómico llamado El Caracol, construido por los mayas. Este edificio ____________ (deber) su nombre a su escalera interior que ___________ (subir) en espiral, del tipo que ____________ (llamarse) "escalera de caracol." En la parte superior del observatorio había una cámara que ____________ (servir) para las observaciones de los astrónomos mayas. Todavía se pueden ver las ventanas a partir de las cuales los

Templo de los Guerreros y conjunto de Las Mil Columnas, Chichén–Itzá

astrónomos ____________ (hacer) sus investigaciones.

Como ____________ (decir) anteriormente, Cancún ____________ (estar) cerca de la ciudad arqueológica de Chichén–Itzá. Cancún ____________ (ser) un gran centro turístico que ____________ (datar) del año 1970. Sus playas ____________ (ser) fantásticas; la arena ____________ (ser) blanquísima y el color del mar ____________ (ser) verde.

A pesar de las maravillas que Cancún les ofrece a los turistas, los más aventureros ____________ (preferir) ir a lugares menos comerciales y por lo tanto, más típicamente mexicanos como Puerto Ángel y Puerto Escondido que ____________ (estar) en la costa Pacífica al sur de Acapulco. Allí ____________ (hablarse) muy poco inglés o francés, los hoteles ____________ (ser) más típicos y la comida ____________ (costar) mucho menos.

Playa de la Ropa, Zihuatanejo

Lo ____________ (pasar) muy bien durante ese viaje y ____________ (pensar) regresar allí otra vez en el futuro.

¡VAMOS A CONVERSAR! (págs. 122–132)

1) Contesta a las preguntas con frases completas.
2) Practica con tu compañero/a. Uno lee las preguntas y el otro escucha y responde sin consultar sus hojas (y viceversa).
3) Sin consultar tus hojas, improvisa preguntas y responde a las de tu compañero.

1) —¿Has visitado algún país europeo?
—______
—¿Has visitado algún país latinoamericano?
—______
2) —¿Compras una guía turística cuando viajas al extranjero?
—______
3) —¿Has alquilado un coche alguna vez?
—______
—¿Dónde estabas?
—______
4) —¿Dónde estuviste anoche?
—______
—¿Qué hiciste?
—______
5) —¿Nevó el mes pasado?
—______
—¿Llovió el mes pasado?
—______
6) —¿Llegaste tarde a clase hoy?
—______
7) —¿Has visto la película El Dorado del cineasta Carlos Saura?
—______
8) —¿Qué piensas de la invención del ordenador?
—______
—¿Cuáles son los aspectos positivos y negativos de la invención del ordenador?
—______
9) —¿Qué piensas de la invención de la imprenta?
—______
—¿De qué modo ha cambiado el mundo?
—______
10) —¿Qué piensas de la invención de la radio?
—______
11) —¿Qué piensas de la invención de la televisión? (discute los aspectos positivos y negativos)
—______
12) —Nombra otras invenciones importantes del siglo XX.
—______

TEST (74–133)

A) Escribe el **femenino**. Escribe el artículo también.

1) el cliente ______________________________
2) el actor ______________________________
3) el artista ______________________________

B) Completa las frases en el **imperfecto** usando el verbo más adecuado.

ir, almorzar, temblar, vivir, ser, ver, veranear, jugar

1) Nosotros ________________ casi siempre en la Costa Blanca.
2) Los esquiadores ________________ de frío.
3) El año pasado nuestro equipo de fútbol ________________ mucho mejor.
4) Hasta el año pasado, la empresa de Raúl ________________ muy bien.
5) Julían y Rosa ________________ a menudo en el restaurante «El gitano».
6) Antes de ser político, (yo) ________________ abogado.
7) Antes de comprar esta casa, nosotros ____________ en un apartamento.
8) Miguel tuvo que comprarse gafas porque no __________ bien.

C) Escribe el **antónimo**.

1) fácilmente ______________________________
2) mucho ______________________________
3) delante de ______________________________
4) nada ______________________________
5) nunca ______________________________

D) Completa cada frase con el **pretérito** del verbo más adecuado.

caerse (2), pedir, entregar, ir, colocarse, leer, pagar, alcanzar, dormir, traducir

1) Busqué trabajo durante muchos meses y finalmente (yo) ________________ en una empresa extranjera.
2) Los empleados ________________ un aumento de salario.
3) Ayer (yo) ________________ el informe al director.
4) (Yo) ________________ el objetivo propuesto por la empresa.
5) —¿________________ el alquiler?
   —Sí, lo ________________.
6) —¿________________ usted a los toros ayer?
   —No, no me gustan las corridas.
7) Estábamos tan cansadas de la excursión que anoche ___________ diez horas.
8) El niño ____________________ de la bicicleta pero no le pasó nada porque ____________________ en la arena.
9) Rosario ____________________ varios libros del alemán al español.
10) Pocos estudiantes ____________________ toda la novela.

E) Escribe el **sinónimo**.

1) a menudo ______________________________
2) economizar ______________________________
3) aún ______________________________
4) contento ______________________________

F) Contesta a las preguntas empleando **dos pronombres complementos.**

1) —¿Quién nos paga el alquiler?
—___________ ___________ paga nuestro abuelo.
2) —¿Quién me va a devolver el dinero que presté a Alberto?
—Isabel ___________ ___________ va a devolver.
3) —¿Quién les enseña el camino a ellos?
—Pepe ___________ ___________ enseña.

G) Contesta a las preguntas usando un **infinitivo** y un **pronombre complemento.**

1) —¿Piensas estudiar el italiano este año?
—Sí, ______________________________________.
2) —¿Van ustedes a visitar las cataratas de Iguazú?
—No, no ________________________________ porque nos falta tiempo.

H) Escribe la **letra** de la sección **B** que corresponde mejor a cada número de la sección **A**.

A		B
1) seguir	______	A) antes de los platos fuertes.
2) apostar	______	B) un empleado
3) cayó y	______	C) a alguien
4) rodar	______	D) a carcajadas
5) reír	______	E) treinta mil pesos
6) Los entremeses se sirven	______	F) la visita de un amigo
7) despedirse de	______	G) temprano/tarde
8) despedir a	______	H) se lastimó la mano
9) ruinas de	______	I) televisor/coche/apartamento
10) gozar con	______	J) que una tortuga.
11) acostarse	______	K) una antigua civilización
12) El recital fue un	______	L) los compañeros
13) alquilar un	______	M) una película
14) Anda más lentamente	______	N) como una tortuga.
15) Anda tan lentamente	______	O) gran éxito.

I) Haz comparaciones usando la información dada. Usa el adjetivo entre paréntesis.

1) el Monte Blanco – 4807 metros (alto)
   el Monte Everest – 8800 metros
   El Monte Everest es ____.

2) José tiene doce años (grande)
   Su hermana tiene catorce años
   La hermana de José es ____.

J) Completa las frases usando el **superlativo** de los adjetivos entre paréntesis.

1) Este centro de compras gigantesco es __________________ de la ciudad. (grande)
2) En este momento es __________________ cosa que puedes hacer. (bueno)
3) Me tocó __________________ trabajo de todos. (malo)

K) Completa cada frase con el **presente**, el **pretérito** o el **imperfecto** de **haber**, según convenga al significado de la frase.

1) __________ un restaurante aquí, pero cerró hace algunos meses.
2) Ayer __________ fiesta.
3) No __________ mucha gente por el momento.

L) Completa con la forma correcta del **pretérito** o del **imperfecto**, según convenga al significado de cada frase.

1) El lunes pasado (nosotras) ______________ (comer) una paella muy sabrosa.
2) Él ________________ (beber) tanto que tuvo que someterse a una cura de desintoxicación.
3) Hacía tanto frío que ________________ (encender) un fuego para calentarnos.
4) Rita y su hermana ________________ (pelearse) a menudo.

M) Completa las frases usando el **pretérito perfecto**.

1) Ese autor ______________________ (escribir) varios libros muy interesantes.
2) Todavía nosotros no _______________________ (mudarse) de casa.
3) —¿_________________________ (escribir) ustedes a sus abuelos?
   —Vamos a hacerlo ahora mismo.

N) Completa las frases usando el adjetivo que está entre paréntesis. Haz la *concordancia* y el **apócope** si es necesario.

1) Hoy es la fiesta de __________________ Felipe. (Santo)
2) París, Londres y Nueva York son __________________ ciudades. (grande)
3) Al _______________ día, ya nos sentíamos cansados. (tercero)
4) Hay casi _______________ mil personas en el estadio. (ciento)

O) Completa con la **preposición** adecuada si es necesario.

1) _____________ los economistas, vamos a tener una recesión.

2) _____________ (= salvo) Teresa y Antonio, todos participaron.

P) Completa con la partícula adecuada.

que, como, tanto, más, menos, tan

1) Es tan astuto _____________ su hermano.
2) Son más perezosos _____________ nosotros.
3) No tengo _____________ dinero como tú.
4) Las pinturas de Dalí son _____________ caras que las mías.
5) La plata es _____________ cara que el oro.

Q) Completa las frases con **tan...como** o **tanto/a/os/as ...como.**

1) Esta pintura no es ___________ famosa ___________ la primera que vimos.
2) Picasso tiene _____________ fama _____________ Dalí.

R) Identifica cada dibujo. Escribe el **nombre** y el **artículo**.

REGLAS DE ACENTUACIÓN

1) Las palabras que **terminan** en **consonante** con la excepción de -**n**- y -**s**-, se acentúan tónicamente en la **última sílaba**.

dor-**mir**	ca-pi-**tal**	ciu-**dad**	es-pa-**ñol**
ha-**blar**	pa-**red**	ser-**vir**	tra-ba-**jar**

2) Las palabras que **terminan** en **vocal** (**a**, **e**, **i**, **o**, **u**), -**n**- o -**s**-, se acentúan tónicamente en la **penúltima sílaba**.

pro-**gra**-ma	**ca**-sa	mi-**nu**-to	pro-**ble**-ma
nor-te	**ra**-dios	**ha**-blan	**jo**-ven

3) Si la pronunciación de la palabra no sigue estas dos reglas se lo indica con un **acento escrito** en la **vocal acentuada**.

Mé-xi-co	**mú**-si-cos	re-li-**gión**	**pú**-bli-co
ca-**fé**	ca-fe-te-**ría**	**ár**-bol	a-**zú**-car

4) En una **sílaba acentuada**, la **vocal fuerte** se acentúa tónicamente en **combinaciones** de una **vocal fuerte** (**a**, **e**, **o**) y una **débil** (**i**,**u**); en **combinaciones** de **dos vocales débiles** (**i**, **u**), se acentúa la **segunda vocal**.

vie-jo	nie-ve	puer-ta	con-strui-do
in-vier-no	tiem-po	fre-cuen-te	des-trui-do

5) En combinaciones de una **vocal fuerte** (**a**, **e**, **o**) y una **débil** (**i**, **u**), cuando la **vocal débil** es **acentuada**, hay siempre un **acento escrito** que **divide** las dos vocales en **dos sílabas**. Si no se escribe el acento, la combinación se hace un **diptongo** de **una sílaba** con la acentuación en la **vocal fuerte**.

ma-yo-**rí**-a	**frí**-o	con-ti-**nú**-a	pa-**ís**

6) Las palabras **interrogativas** siempre tienen acento ortográfico.
¿**Qué** hora es? ¿**Dónde** vives? ¿De **dónde** eres tú? ¿**Adónde** vais, chicos? ¿**Cómo** estás? ¿**Cuándo** vienen tus padres? ¿**Cuánto** es el reloj? ¿**Quién** es usted? ¿**Quiénes** son ellos? ¿**Por qué** estás cansado?

7) Se usa el acento ortográfico para **distinguir** entre ciertas palabras.

Esta casa es de Pedro.	(**esta** es un adjetivo demostrativo)
Ésta es mi casa.	(**ésta** es un pronombre demostrativo)
¿Dónde **está** tu casa?	(**está** es la tercera persona del presente de indicativo del verbo estar)
El señor Rojas es astuto.	(**el** es un artículo definido)
Él es rico.	(**él** es un pronombre personal)
Tu coche está sucio.	(**tu** es un adjetivo posesivo)
Tú eres un buen chofer.	(**tú** es un pronombre personal)
Ramón vive **solo**.	(**solo** es un adjetivo = sin compañía)
Sólo puedo ir hoy.	(**Sólo** es un adverbio = solamente)
—¿Vas a trabajar hoy? —**Sí**, voy a trabajar.	(**sí** es adverbio de afirmación y pronombre reflexivo empleado con preposición)
Si hace buen tiempo, vamos a ir a la playa.	(**si** es una conjunción que denota condición o hipótesis)
—¿Quieres un café? —No, prefiero un **té**.	(**té** es un sustantivo)
—¿Cómo **te** llamas? —Me llamo Mónica.	(**te** es un pronombre)
Este coche es **más** caro.	(**más** es un adverbio)
Tengo entradas **mas** no pienso asistir al espectáculo.	(**mas** es una conjunción = pero)

EL PRESENTE DE INDICATIVO

VERBOS REGULARES

HABLAR	COMER	VIVIR
hablo	como	vivo
hablas	comes	vives
habla	come	vive
hablamos	comemos	vivimos
habláis	coméis	vivís
hablan	comen	viven

1) Algunos verbos regulares que terminan en **–AR** (1ª conjugación) son: estudiar, trabajar, tocar, esperar, nadar, comprar, enseñar, fumar, pasar, terminar, bailar, desear, tomar, etc...
2) Algunos verbos regulares que terminan en **–ER** (2ª conjugación) son: beber, responder, vender, comprender, leer, correr, deber, creer, aprender, etc...
3) Algunos verbos regulares que terminan en **–IR** (3ª conjugación) son: escribir, recibir, asistir, subir, describir, sufrir, abrir, existir, discutir, etc...

VERBOS IRREGULARES

SER	ESTAR	TENER	IR	VER
soy	estoy	tengo	voy	veo
eres	estás	tienes	vas	ves
es	está	tiene	va	ve
somos	estamos	tenemos	vamos	vemos
sois	estáis	tenéis	vais	veis
son	están	tienen	van	ven

HACER	PONER	SABER	TRAER	DAR
hago	**pongo**	**sé**	**traigo**	**doy**
haces	pones	sabes	traes	das
hace	pone	sabe	trae	da
hacemos	ponemos	sabemos	traemos	damos
hacéis	ponéis	sabéis	traéis	dais
hacen	ponen	saben	traen	dan

SALIR	DECIR	OÍR	VENIR
salgo	**digo**	**oigo**	**vengo**
sales	dices	oyes	vienes
sale	dice	oye	viene
salimos	decimos	oímos	venimos
salís	decís	oís	venís
salen	dicen	oyen	vienen

A) IRREGULARIDADES VOCÁLICAS (1a conjugación –AR)

PENSAR (E → IE)	CONTAR (O → UE)	JUGAR (U → UE)
pienso	cuento	juego
piensas	cuentas	juegas
piensa	cuenta	juega
pensamos	contamos	jugamos
pensáis	contáis	jugáis
piensan	cuentan	juegan

empezar, comenzar, cerrar, sentarse y despertarse se conjugan como pensar
almorzar, encontrar, mostrar, acordarse y acostarse se conjugan como contar

B) IRREGULARIDADES VOCÁLICAS (2a conjugación –ER)

PERDER (E → IE)	VOLVER (O → UE)
p**ie**rdo	v**ue**lvo
p**ie**rdes	v**ue**lves
p**ie**rde	v**ue**lve
perdemos	volvemos
perdéis	volvéis
p**ie**rden	v**ue**lven
querer se conjuga como perder	poder se conjuga como volver

C) IRREGULARIDADES VOCÁLICAS (3a conjugación –IR)

SENTIR (E → IE)	DORMIR (O → UE)
s**ie**nto	d**ue**rmo
s**ie**ntes	d**ue**rmes
s**ie**nte	d**ue**rme
sentimos	dormimos
sentís	dormís
s**ie**nten	d**ue**rmen
preferir, mentir y divertirse se conjugan como sentir	morir(se) se conjuga como dormir

SERVIR (E → I)

s**i**rvo	servimos
s**i**rves	servís
s**i**rve	s**i**rven

pedir, repetir, vestirse, despedirse y reírse se conjugan como servir

VERBOS QUE TERMINAN EN *–CER, –CIR, –GER, –GIR*

CONOCER	PRODUCIR	COGER	DIRIGIR
cono**z**co	produ**z**co	co**j**o	diri**j**o
conoces	produces	coges	diriges
conoce	produce	coge	dirige
conocemos	producimos	cogemos	dirigimos
conocéis	producís	cogéis	dirigís
conocen	producen	cogen	dirigen

merecer, ofrecer, parecer y crecer se conjugan como **conocer**
conducir, lucir y traducir se conjugan como **producir**
escoger y recoger se conjugan como **coger**
corregir y exigir se conjugan como **dirigir**

VERBOS QUE TERMINAN EN *–UIR , –GUIR*

INCLUIR	HUIR	DISTINGUIR	SEGUIR
inclu**y**o	hu**y**o	**distingo**	**sigo**
inclu**y**es	hu**y**es	distingues	s**i**gues
inclu**y**e	hu**y**e	distingue	s**i**gue
incluimos	huimos	distinguimos	seguimos
incluís	huís	distinguís	seguís
inclu**y**en	hu**y**en	distinguen	s**i**guen

destruir, construir y distribuir se conjugan como **incluir/huir**
perseguir se conjuga como **seguir**

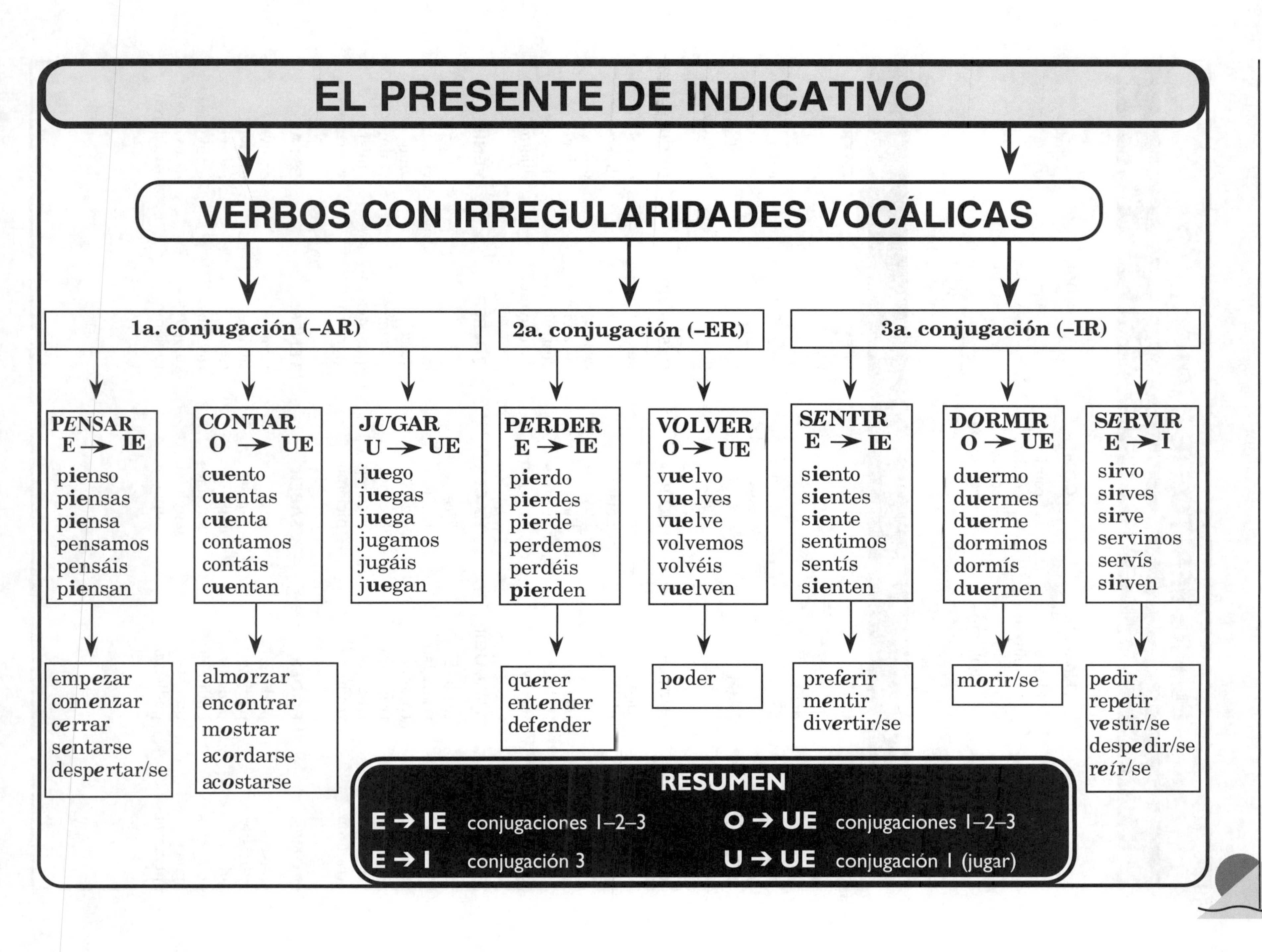

EL PRESENTE DE INDICATIVO
VERBOS CON IRREGULARIDADES VOCÁLICAS
1a. conjugación (–AR)
2a. conjugación (–ER)
3a. conjugación (–IR)
PENSAR E → IE
pienso
piensas
piensa
pensamos
pensáis
piensan
empezar
comenzar
cerrar
sentarse
despertar/se
CONTAR O → UE
cuento
cuentas
cuenta
contamos
contáis
cuentan
almorzar
encontrar
mostrar
acordarse
acostarse
JUGAR U → UE
juego
juegas
juega
jugamos
jugáis
juegan
PERDER E → IE
pierdo
pierdes
pierde
perdemos
perdéis
pierden
querer
entender
defender
VOLVER O → UE
vuelvo
vuelves
vuelve
volvemos
volvéis
vuelven
poder
SENTIR E → IE
siento
sientes
siente
sentimos
sentís
sienten
preferir
mentir
divertir/se
DORMIR O → UE
duermo
duermes
duerme
dormimos
dormís
duermen
morir/se
SERVIR E → I
sirvo
sirves
sirve
servimos
servís
sirven
pedir
repetir
vestir/se
despedir/se
reír/se
RESUMEN
E → IE conjugaciones 1–2–3
O → UE conjugaciones 1–2–3
E → I conjugación 3
U → UE conjugación 1 (jugar)

EL PRETÉRITO DE INDICATIVO

VERBOS REGULARES

HABLAR	COMER	VIVIR
habl**é**	com**í**	viv**í**
habl**aste**	com**iste**	viv**iste**
habl**ó**	com**ió**	viv**ió**
habl**amos**	com**imos**	viv**imos**
habl**asteis**	com**isteis**	viv**isteis**
habl**aron**	com**ieron**	viv**ieron**

VERBOS IRREGULARES

SER, IR	DAR	VER	LEER	CAER
fui	di	vi	leí	caí
fuiste	diste	viste	leíste	caíste
fue	dio	vio	le**y**ó	ca**y**ó
fuimos	dimos	vimos	leímos	caímos
fuisteis	disteis	visteis	leísteis	caísteis
fueron	dieron	vieron	le**y**eron	ca**y**eron

OÍR	INCLUIR	HUIR	DESTRUIR	DECIR
oí	incluí	huí	destruí	dije
oíste	incluiste	huiste	destruiste	dijiste
o**y**ó	inclu**y**ó	hu**y**ó	destru**y**ó	dijo
oímos	incluimos	huimos	destruimos	dijimos
oísteis	incluisteis	huisteis	destruisteis	dijisteis
o**y**eron	inclu**y**eron	hu**y**eron	destru**y**eron	dijeron

TRAER	TRADUCIR	HACER	QUERER	VENIR
traje	traduje	hice	quise	vine
trajiste	tradujiste	hiciste	quisiste	viniste
trajo	tradujo	hizo	quiso	vino
trajimos	tradujimos	hicimos	quisimos	vinimos
trajisteis	tradujisteis	hicisteis	quisisteis	vinisteis
trajeron	tradujeron	hicieron	quisieron	vinieron

PONER	PODER	SABER	TENER	ESTAR
puse	pude	supe	tuve	estuve
pusiste	pudiste	supiste	tuviste	estuviste
puso	pudo	supo	tuvo	estuvo
pusimos	pudimos	supimos	tuvimos	estuvimos
pusisteis	pudisteis	supisteis	tuvisteis	estuvisteis
pusieron	pudieron	supieron	tuvieron	estuvieron

VERBOS CON IRREGULARIDADES VOCÁLICAS

PRIMERA Y SEGUNDA CONJUGACIONES

Los verbos de la **primera** y de la **segunda** conjugaciones que cambian de vocal en el **presente** son completamente **regulares** en el **pretérito**.

cerrar	cierro (presente–irregular)	cerré (pretérito–regular)
volver	vuelvo (presente–irregular)	volví (pretérito–regular)

TERCERA CONJUGACIÓN

SERVIR (E → I)	DORMIR (O → U)
serví	dormí
serviste	dormiste
sirvió	durmió
servimos	dormimos
servisteis	dormisteis
sirvieron	durmieron

Otros verbos que se conjugan como **servir** son: sentir(se), pedir, preferir, mentir, divertir(se), seguir, repetir, reír(se), vestir(se), despedir(se).

Morir se conjuga como **dormir**.

CAMBIOS ORTOGRÁFICOS EN EL PRETÉRITO

VERBOS QUE TERMINAN EN –CAR

TOCAR	BUSCAR	SACAR
to**qu**é	bus**qu**é	sa**qu**é
tocaste	buscaste	sacaste
tocó	buscó	sacó
tocamos	buscamos	sacamos
tocasteis	buscasteis	sacasteis
tocaron	buscaron	sacaron

Otros verbos son **colocar** y **embarcar**.

VERBOS QUE TERMINAN EN –GAR

PAGAR	LLEGAR	ENTREGAR
pag**u**é	lleg**u**é	entreg**u**é
pagaste	llegaste	entregaste
pagó	llegó	entregó
pagamos	llegamos	entregamos
pagasteis	llegasteis	entregasteis
pagaron	llegaron	entregaron

Otros verbos son **jugar** y **juzgar**.

VERBOS QUE TERMINAN EN –ZAR

EMPEZAR	COMENZAR	GOZAR
empe**c**é	comen**c**é	go**c**é
empezaste	comenzaste	gozaste
empezó	comenzó	gozó
empezamos	comenzamos	gozamos
empezasteis	comenzasteis	gozasteis
empezaron	comenzaron	gozaron

Otros verbos son **almorzar**, **organizar**, **alcanzar** y **enlazar.**

EL IMPERFECTO DE INDICATIVO

VERBOS REGULARES

HABLAR	COMER	VIVIR
habl**aba**	com**ía**	viv**ía**
habl**abas**	com**ías**	viv**ías**
habl**aba**	com**ía**	viv**ía**
habl**ábamos**	com**íamos**	viv**íamos**
habl**abais**	com**íais**	viv**íais**
habl**aban**	com**ían**	viv**ían**

VERBOS IRREGULARES

SER	IR	VER
era	iba	veía
eras	ibas	veías
era	iba	veía
éramos	íbamos	veíamos
erais	ibais	veíais
eran	iban	veían

EL PRETÉRITO PERFECTO DE INDICATIVO

Para formar el **pretérito perfecto** se utiliza el presente del auxiliar **haber** + el **participio**.

HABER (presente) **PARTICIPIO (verbos regulares)**

HABER	HABLAR	COMER	VIVIR
he has ha hemos habéis han	**habl*ado***	**com*ido***	**viv*ido***

FORMACIÓN DEL PARTICIPIO

CONJUGACIONES:	1	2	3
INFINITIVOS:	habl**ar**	com**er**	viv**ir**
PARTICIPIOS :	habl***ado***	com***ido***	viv***ido***

Se elimina la terminación del infinitivo (**–ar, –er, –ir**) y se añade **–ADO** (conjugación 1) e **–IDO** (conjugaciones 2 y 3).

PARTICIPIOS IRREGULARES

abrir →	**abierto**	morir →	**muerto**
cubrir →	**cubierto**	poner →	**puesto**
descubrir →	**descubierto**	romper →	**roto**
decir →	**dicho**	ver →	**visto**
escribir →	**escrito**	prever →	**previsto**
describir →	**descrito**	volver →	**vuelto**
hacer →	**hecho**	devolver →	**devuelto**

EL FUTURO DE INDICATIVO

VERBOS REGULARES

	HABLAR	COMER	VIVIR
yo	hablar**é**	comer**é**	vivir**é**
tú	hablar**ás**	comer**ás**	vivir**ás**
él, ella, usted	hablar**á**	comer**á**	vivir**á**
nosotros/as	hablar**emos**	comer**emos**	vivir**emos**
vosotros/as	hablar**éis**	comer**éis**	vivir**éis**
ellos/as/ustedes	hablar**án**	comer**án**	vivir**án**

VERBOS IRREGULARES – GRUPO 1

Para obtener la *raíz* del **futuro** de los verbos siguientes se omite la «**e** »de la raíz del infinitivo.

	PODER	SABER	QUERER	HABER	CABER
yo	po**dr***é*	sa**br***é*	que**rr***é*	ha**br***é*	ca**br***é*
tú	po**dr***ás*	sa**br***ás*	que**rr***ás*	ha**br***ás*	ca**br***ás*
él/ella/usted	po**dr***á*	sa**br***á*	que**rr***á*	ha**br***á*	ca**br***á*
nosotros/as	po**dr***emos*	sa**br***emos*	que**rr***emos*	ha**br***emos*	ca**br***emos*
vosotros/as	po**dr***éis*	sa**br***éis*	que**rr***éis*	ha**br***éis*	ca**br***éis*
ellos/as/ustedes	po**dr***án*	sa**br***án*	que**rr***án*	ha**br***án*	ca**br***án*

VERBOS IRREGULARES – GRUPO 2

Para obtener la *raíz* del **futuro** de los verbos siguientes se sustituye la «**e** » ó la «**i**» de la raíz del infinitivo con la letra «**d**».

	PONER	SALIR	TENER	VENIR	VALER
yo	pon**dr***é*	sal**dr***é*	ten**dr***é*	ven**dr***é*	val**dr***é*
tú	pon**dr***ás*	sal**dr***ás*	ten**dr***ás*	ven**dr***ás*	val**dr***ás*
él/ella/usted	pon**dr***á*	sal**dr***á*	ten**dr***á*	ven**dr***á*	val**dr***á*
nosotros/as	pon**dr***emos*	sal**dr***emos*	ten**dr***emos*	ven**dr***emos*	val**dr***emos*
vosotros/as	pon**dr***éis*	sal**dr***éis*	ten**dr***éis*	ven**dr***éis*	val**dr***éis*
ellos/as/ustedes	pon**dr***án*	sal**dr***án*	ten**dr***án*	ven**dr***án*	val**dr***án*

VERBOS IRREGULARES – HACER, DECIR

La raíz del **futuro** de estos dos verbos es completamente irregular.

	HACER	DECIR
yo	**har***é*	**dir***é*
tú	**har***ás*	**dir***ás*
él, ella, usted	**har***á*	**dir***á*
nosotros/as	**har***emos*	**dir***emos*
vosotros/as	**har***éis*	**dir***éis*
ellos/as/ustedes	**har***án*	**dir***án*

EL MODO CONDICIONAL

VERBOS REGULARES

	HABLAR	COMER	VIVIR
yo	habla**ría**	come**ría**	vivi**ría**
tú	habla**rías**	come**rías**	vivi**rías**
él, ella, usted	habla**ría**	come**ría**	vivi**ría**
nosotros/as	habla**ríamos**	come**ríamos**	vivi**ríamos**
vosotros/as	habla**ríais**	come**ríais**	vivi**ríais**
ellos/as/ustedes	habla**rían**	come**rían**	vivi**rían**

VERBOS IRREGULARES – GRUPO 1

Para obtener la *raíz* del **condicional** de los verbos siguientes se omite la «**e** »de la raíz del infinitivo.

	PODER	SABER	QUERER	HABER	CABER
yo	po**dr**ía	sa**br**ía	que**rr**ía	ha**br**ía	ca**br**ía
tú	po**dr**ías	sa**br**ías	que**rr**ías	ha**br**ías	ca**br**ías
él/ella/usted	po**dr**ía	sa**br**ía	que**rr**ía	ha**br**ía	ca**br**ía
nosotros/as	po**dr**íamos	sa**br**íamos	que**rr**íamos	ha**br**íamos	ca**br**íamos
vosotros/as	po**dr**íais	sa**br**íais	que**rr**íais	ha**br**íais	ca**br**íais
ellos/as/ustedes	po**dr**ían	sa**br**ían	que**rr**ían	ha**br**ían	ca**br**ían

VERBOS IRREGULARES – GRUPO 2

Para obtener la *raíz* del **condicional** de los verbos siguientes se sustituye la «**e** » o la «**i**» de la raíz del infinitivo con la letra «**d**».

	PONER	SALIR	TENER	VENIR	VALER
yo	pon**dr**ía	sal**dr**ía	ten**dr**ía	ven**dr**ía	val**dr**ía
tú	pon**dr**ías	sal**dr**ías	ten**dr**ías	ven**dr**ías	val**dr**ías
él/ella/usted	pon**dr**ía	sal**dr**ía	ten**dr**ía	ven**dr**ía	val**dr**ía
nosotros/as	pon**dr**íamos	sal**dr**íamos	ten**dr**íamos	ven**dr**íamos	val**dr**íamos
vosotros/as	pon**dr**íais	sal**dr**íais	ten**dr**íais	ven**dr**íais	val**dr**íais
ellos/as/ustedes	pon**dr**ían	sal**dr**ían	ten**dr**ían	ven**dr**ían	val**dr**ían

VERBOS IRREGULARES – HACER, DECIR

La raíz del **condicional** de estos dos verbos es completamente irregular.

	HACER	DECIR
yo	ha**r**ía	di**r**ía
tú	ha**r**ías	di**r**ías
él, ella, usted	ha**r**ía	di**r**ía
nosotros/as	ha**r**íamos	di**r**íamos
vosotros/as	ha**r**íais	di**r**íais
ellos/as/ustedes	ha**r**ían	di**r**ían

EL GERUNDIO

REPASO: El **gerundio** se combina con el auxiliar **estar** para formar la forma progresiva.

—¿Qué **estás haciendo**?
—**Estoy escribiendo** una carta.

FORMACIÓN DEL GERUNDIO

Conjugaciones	1	2	3
Infinitivos	habl**ar**	com**er**	viv**ir**
gerundios	habl**ando**	com**iendo**	viv**iendo**

Se elimina la **terminación** del infinitivo (-**ar**, -**er**, -**ir**) y se añade -**ando** (conjugación **1**) y -**iendo** (conjugaciones **2** y **3**).

Estar – presente		Gerundios
yo	**estoy**	habl**ando** español.
tú	**estás**	com**iendo** pescado.
él, ella, usted	**está**	escrib**iendo** una carta.
nosotros/as	**estamos**	
vosotros/as	**estáis**	
ellos, ellas, ustedes	**están**	

¡OJO!

A) Si la raíz de un **infinitivo** de la **segunda** (–**er**) y de la **tercera** (–**ir**) conjugaciones termina en una **vocal,** la «**i**» de la terminación «**iendo**» cambia en «**y**».

leer →	leyendo	caer →	cayendo	creer →	creyendo
traer →	trayendo	oír →	oyendo	huir →	huyendo
construir →	construyendo	excluir →	excluyendo	incluir →	incluyendo
constituir →	constituyendo	distribuir →	distribuyendo	instruir →	instruyendo

B) En los verbos con **irregularidades vocálicas** de la **tercera** conjugación (–**ir**) los cambios siguientes ocurren.

1) la «**e**» de la **raíz** (pedir) cambia en → «**i**».

pedir →	pidiendo	servir →	sirviendo	seguir →	siguiendo
conseguir →	consiguiendo	corregir →	corrigiendo	elegir →	eligiendo
despedir →	despidiendo	impedir →	impidiendo	investir →	invistiendo
repetir →	repitiendo	vestir →	vistiendo	divertir →	divirtiendo
mentir →	mintiendo	venir →	viniendo	decir →	diciendo

Además *reír, sonreír, reñir y teñir* pierden la «i» de la terminación «**iendo**».

reír →	riendo	sonreír →	sonriendo
teñir →	tiñendo	reñir →	riñendo

2) la «**o**» de la **raíz** (dormir) cambia en «**u**».

dormir →	durmiendo	morir →	muriendo

C) El gerundio de *poder* e *ir* son **irregulares**.

poder →	pudiendo	ir →	yendo